Spis treści

Iwona Więckowska

ANGIELSKI raz a dobrze

Intensywny kurs języka angielskiego w 30 lekcjach

Konsultacja metodyczna:
dr Grzegorz Śpiewak

języki nieobce

Projekt okładki serii: Marcin Rojek, 2-arts.com
Projekt makiety i opracowanie graficzne: Studio 27, studio27@qdnet.pl
Zdjęcie na okładce: Mariusz Jachimczuk
Redakcja i korekta: Paweł Pokora, Agnieszka Szymczak-Deptuła
Redakcja dialogów: Andy Edwins
Słowniczek i tabele: Agnieszka Szymczak-Deptuła
Lektorzy: Mark Dyson, Andy Edwins, Sharon Edwins, Miłogost Reczek
Dźwięk i montaż: Leszek Czernicki
Program komputerowy i gry językowe na płycie CD-ROM: Edgard, www.edgard.com.pl

Skład i łamanie: Studio 27
Druk i oprawa: Pozkal

ISBN 83-60287-25-2

Naucz się „raz a dobrze"!

Jeśli chcesz samodzielnie poznać język angielski w stopniu umożliwiającym porozumiewanie się w zakresie codziennych zdarzeń i sytuacji, „ANGIELSKI raz a dobrze" jest książką właśnie dla Ciebie!

A może już kiedyś uczyłeś się angielskiego, a teraz wydaje Ci się, że wszystko zapomniałeś, albo wstydzisz się mówić w języku obcym w obawie przed popełnieniem błędu? Dzięki naszej książce przekonasz się, jak wiele zostało Ci jednak w głowie i wreszcie pójdziesz dalej, osiągając poziom pozwalający na swobodną komunikację (zakres materiału obejmuje poziomy A1, A2 i przygotowuje do poziomu B1 zgodnie ze skalą poziomów kompetencji językowej Rady Europy).

Proponowany przez nas kurs jest intensywny, co znaczy, że ucząc się z nami nie tracisz czasu i możesz robić szybkie postępy niezależnie od tego, czy po raz pierwszy stykasz się z językiem, czy jest to już Twoje kolejne podejście. O tempie i sposobie nauki decydujesz jednak samodzielnie, zależnie od własnych potrzeb, możliwości i chęci. Ułatwia to struktura całego kursu, jak i poszczególnych lekcji.

Książka dzieli się na trzydzieści lekcji. Jednostka lekcyjna składa się z **dialogu** lub czytanki wraz z tłumaczeniem, **słownictwa**, objaśnień gramatycznych i językowych (**„Jak to działa?"**) oraz **ćwiczeń** wraz z kluczem. Ćwiczenia najlepiej rozwiązywać po zapoznaniu się z dialogiem, słownictwem i częścią poświęconą gramatyce. Najpełniej wykorzystasz ćwiczenia wykonując je zarówno ustnie jak i pisemnie.

Po przerobieniu pięciu regularnych jednostek lekcyjnych masz szansę samodzielnie sprawdzić swoje postępy. Lekcja powtórkowa (**„Sprawdź się!"**) to pięć ćwiczeń na **rozumienie ze słuchu**, obszerny **test wyboru** z zagadnień językowych i gramatycznych przedstawionych w poprzednich lekcjach, a na koniec **krzyżówka**, żebyś się trochę rozerwał.

Nieocenioną pomocą w przyswajaniu prawidłowej wymowy czy nauce rozumienia ze słuchu są umieszczone na płycie audio CD **nagrania**, dokonane przez **rodowitych Anglików**. Naukę słownictwa z pewnością ułatwi Ci to, że słówka czytane są najpierw przez polskiego, a potem angielskiego lektora, dzięki czemu łatwo można je sobie powtarzać, słuchając choćby w samochodzie. Przy wszystkich fragmentach książki, które zostały nagrane, umieściliśmy symbole 02 z numerami odpowiadających im ścieżek – wreszcie nie musisz skakać po płycie w poszukiwaniu właściwego nagrania.

Symbole odsyłają do towarzyszącego książce programu multimedialnego, który poszerza możliwości kursu o interaktywne sposoby nauki z wykorzystaniem komputera (dotyczy pełnego pakietu multimedialnego z dołączoną płytą CD-ROM; jeśli kupiłeś wersję z samą płytą audio, CD-ROM możesz w każdej chwili zamówić w internecie na stronie www.WydawnictwoLingo.pl).

Najważniejsze jednak jest to, że korzystając z naszego kursu poznajesz **żywy język**, czytasz i słuchasz dialogów na **aktualne tematy**, uczysz odnajdywać się w **życiowych sytuacjach**.

Z życzeniami sukcesów w nauce

Zespół autorów i redaktorów Lingo

1. A Chance Meeting

ANIA: – Excuse me... Professor Smith?
HARRY: – Yes?
ANIA: – This is for you. It's from the college secretary.
HARRY: – Ah, thank you. Actually, I'm not a professor. I'm just a 'Mr'.
ANIA: – Oh? Sorry!
HARRY: – Don't mind me. I don't think I've seen you at the college before?
ANIA: – Well, no. I'm here to say goodbye to some of my lecturers. I'm leaving for London soon.
HARRY: – So am I. When are you going?
ANIA: – This Thursday.
HARRY: – The early morning flight?
ANIA: – Yes, that's the one.
HARRY: – So, we're flying together. Perhaps we should introduce ourselves properly?
ANIA: – Who goes first?
HARRY: – Allow me... How do you do? My name's Harry Smith.
ANIA: – How do you do? Nice to meet you. I'm Ania Kowalska.
HARRY: – Nice to meet you too. Call me Harry. May I call you Ania?
ANIA: – Yes of course, Harry. But only if you explain why you're a "Mr" and not a professor...?

Słownictwo

Excuse me – Przepraszam
the college secretary – sekretarka na uczelni
actually – tak naprawdę
just – po prostu
don't mind me – nie przejmuj się mną
I don't think – nie sądzę/chyba nie
I've seen – widziałem
say goodbye to sb – pożegnać się z kimś
lecturers – wykładowcy
leave for – wyjeżdżać do
soon – wkrótce
so am I – ja też
early morning flight – poranny lot
that's the one – to właśnie ten
perhaps – może

introduce yourself - przedstawić się
properly - odpowiednio
allow me - jeśli pan pozwoli
How do you do? - Miło mi pana poznać.
nice to meet you - tu: bardzo mi miło (dosł. miło mi pana poznać)
call me... - proszę zwracać się do mnie...
may I...? - czy pan pozwoli/czy mogę...?
yes of course - ależ oczywiście
but only if you explain - ale tylko jeśli wytłumaczysz

Tłumaczenie

Przypadkowe spotkanie. **A**: Przepraszam bardzo... Profesorze Smith? **H**: Słucham? **A**: To dla pana. Od sekretarki. **H**: Dziękuję bardzo. Tak naprawdę to nie jestem profesorem. Po prostu „panem". **A**: Och, przepraszam! **H**: Proszę się nie przejmować. Chyba nie widziałem pani przedtem na uczelni? **A**: To prawda. Przyszłam się pożegnać z niektórymi moimi wykładowcami. Niedługo wyjeżdżam do Londynu. **H**: Ja też. Kiedy pani wyjeżdża? **A**: W ten czwartek. **H**: Porannym lotem? **A**: Właśnie tym. **H**: Więc lecimy razem. Może powinniśmy się przedstawić jak należy? **A**: Kto pierwszy? **H**: Jeśli pani pozwoli... Nazywam się Harry Smith. **A**: Bardzo mi miło. Ania Kowalska. **H**: Mnie także jest bardzo miło. Proszę do mnie mówić Harry. Czy mogę się do pani zwracać po imieniu? **A**: Oczywiście, Harry. Ale tylko jeśli wytłumaczysz mi dlaczego „pan" a nie „profesor"...?

Więcej słówek i zwrotów

I'm Polish. - Jestem Polakiem.
I live in Warsaw. - Mieszkam w Warszawie.
I'm 23 years old. - Mam 23 lata.
I'm a student of English. - Studiuję na anglistyce.
I'm at Warsaw University. - Studiuję na UW.
I'm a teacher. - Jestem nauczycielem.
I'm/come from Poland. - Jestem/Pochodzę z Polski.
Harry, this is Basia. B meet H. - H, to jest B. B poznaj H.
Harry and I work together. - Harry i ja pracujemy razem.
I'd like to introduce... - Chciałbym przedstawić...
I'd like you to meet... - Chciałbym, żebyś poznał...
...a friend of mine. - ...mojego przyjaciela.

Jak to działa?

Zaimki osobowe

I - ja	***we*** - my
you - ty/pan/pani	***you*** - wy/państwo
he - on	
she - ona	***they*** - oni
it - ono	

PRESENT SIMPLE: wyrażanie teraźniejszości

Czasu **Present Simple** używamy m.in. **do stwierdzania faktów i opisu stałych sytuacji**:

I come from Poland. (Pochodzę z Polski.)
I live in Warsaw. (Mieszkam w Warszawie.)

Czasownik: do

Podstawowe znaczenie czasownika do to **robić**:

*My husband **does** the shopping.* (Mąż robi zakupy.)

Czasownika do używamy jako **operatora** w czasie **Present Simple**.

	przeczenia	pytania
I/you/we/they explain	***do**n't explain*	***Do** I/you/we/they explain*
***he/she/it** explains*	***does**n't explain*	***Does** he/she/it explain*

W pytaniach o podmiot nie używamy operatora:
***Who goes** first?* (Kto pierwszy?)
***Who lives** here?* (Kto tu mieszka?)

Czasownik: be

Be oznacza **być** w zdaniach typu:

*This **is** for you.* (To jest dla ciebie.) ***I'm** Polish.* (Jestem Polakiem.)

Czasownik **be** jest także **operatorem** w czasie **Present Simple**.

	stwierdzenia	przeczenia	pytania
I	*'m/**am***	***'m not/am not***	***Am I***
he/she/it	*'s/**is***	***isn't/'s not/is not***	***Is he/she/it***
you/we/they'	*re/**are***	***aren't/'re not/are not***	***Are you/we/they***

PRESENT CONTINUOUS: wyrażanie przyszłości

Czasu **Present Continuous** najczęściej używamy mówiąc **o planach na przyszłość:**

*I'**m leaving** for London.* (Wyjeżdżam do Londynu.)
*We'**re flying** together.* (Razem lecimy.)

Czasownika **be** używamy jako **operatora** w czasie **Present Continuous.**

	stwierdzenia	przeczenia	pytania
I	***'m** go**ing***	***'m** not go**ing***	***Am** I go**ing***
he/she/it	***'s** go**ing***	***is**n't/**'s** not go**ing***	***Is** he/she/it go**ing***
you/we/they'	***re** go**ing***	***'re** not/**are**n't go**ing***	***Are** you/we/they go**ing***

Formy skrócone

W mowie potocznej często używamy form skróconych:

do not → ***don't***	*is →* ***'s***	*are →* ***'re***
does not → ***doesn't***	*am →* ***'m***	*is not →* ***isn't***
		are not → ***aren't***

Ćwiczenia

1. Ułóż wypowiedzi w odpowiedniej kolejności od 1-9 tak, by tworzyły sensowny dialog:

..... **a.** *Yes of course, Harry.*

..... **b.** *My name's Harry Smith.*

..... **c.** *I'm Ania Kowalska.*

..... **d.** *Nice to meet you.*

..... **e.** *Nice to meet you too.*

..1.. **f.** *How do you do?*

..... **g.** *How do you do?*

..... **h.** *Call me Harry.*

..... **i.** *May I call you Ania?*

2. Uzupełnij luki odpowiednimi czasownikami. Tam, gdzie to możliwe, użyj form skróconych.

My name .... Ania. I .... twenty-three years old.

I .... Polish and I .... in Warsaw.

I .... a student of English.

Allow me to .... a friend of mine.

He .... from England.

Harry, this .... Basia. Basia .... Harry.

I .... you to meet Kate.

Kate and I .... friends from Poland.

How .... you .... ?

3. Dopasuj wypowiedzi Ani i Harry'ego, aby tworzyły sensowny dialog.

Ania
I'm leaving for London soon.
1. ....
This Thursday.
2. ....
Yes, that's the one.
3. ....

Harry
a. *The early morning flight?*
b. *So, we're flying together.*
c. *So am I. When are you going?*

4. Przetłumacz zdania, wykorzystując czasownik w nawiasach w odpowiedniej formie.

1. *Wyjeżdżamy do Londynu. (leave for)*
2. *Jestem Polką/Polakiem. (come from)*
3. *Idę na uczelnię w ten czwartek. (go to)*
4. *Ania jest Polką. (be)*

5. Utwórz przeczenia, dodając **not/n't** do przetłumaczonych zdań w ćw. 4.

6. Przekształć przetłumaczone zdania w ćw. 4. na pytania. Jeśli trzeba, zastąp podmiot zaimkiem **you**.

Smith i Kowalska

Smith to jedno z najbardziej pospolitych nazwisk w krajach anglojęzycznych. Jest to skrót od słowa *blacksmith*, czyli „kowal". Jeśli ktoś nie chce podać swego prawdziwego nazwiska, często podpisuje się jako *Smith*. Podobnie jest z nazwiskiem *Jones*.

Klucz do ćwiczeń

1. f, b/c, g, d, c/b, e, h, i, a **2.** 1. 's 2. 'm 3. 'm 4. live 5. 'm 6. introduce 7. 's 8. is 9. meet 10. 'd like 11. are 12. do 13. do **3.** 1c 2a 3b **4.** 1. We're leaving for London. 2. I come from Poland. 3. I'm going to college/university this Thursday. 4. I'm Polish. **5.** 1. We're not/aren't leaving for... 2. I don't come from... 3. I'm not going to college/university... 4. Ania's not/isn't... **6.** 1. Are you leaving for...? 2. Do you come from...? 3. Are you going to college/university...? 4. Is Ania Polish...?

2. Touch Down

"This is your Captain speaking. Welcome to London Heathrow Airport. It's 9.45 local time. Please remain seated with your seat belts fastened until the plane comes to a complete stop. We hope you enjoy your stay."

HARRY: - All set?
ANIA: - I think so.
HARRY: - First, passport control and then, baggage reclaim to pick up our luggage.
ANIA: - What about customs?
HARRY: - Just follow the signs. If you have nothing to declare, go through the exit marked green. Customs officers can stop you and check your luggage but that doesn't often happen.
ANIA: - And if you do?
HARRY: - It's the red exit.
ANIA: - I can't find my passport. Oh, here it is. Goodness, I do hope I've got everything.
HARRY: - No need to rush. Ready? Then let's go...
ANIA: - How far is it to central London?
HARRY: - Under an hour by tube - the Piccadilly Line.
ANIA: - How do I get to this address?
HARRY: - I'm not sure. As soon as we're through customs we can get an A to Z and go to the information desk.
ANIA: - What's an A to Z...?

Słownictwo

captain - kapitan
welcome to... - witamy w...
local time - czas miejscowy
remain seated - pozostać na miejscach
seat belts fastened - zapięte pasy bezpieczeństwa
come to a complete stop - zatrzymać się całkowicie
enjoy your stay - cieszyć się pobytem
All set? - Gotowa?
I think so - chyba tak/myślę, że tak
passport control - kontrola paszportowa
baggage reclaim - odbiór bagażu
pick up your luggage - odebrać swój bagaż
What about customs? - A co z odprawą celną?

follow the signs - kierować się znakami
nothing to declare - nic do oclenia
marked green - oznaczone na zielono
customs officers - celnicy
happen - zdarzyć się
here it is - o, jest!
goodness! - Boże!
everything - wszystko
no need to rush - nie ma potrzeby się spieszyć
then let's go - no to chodźmy
How far is it to...? - Jak daleko do...?
under an hour by tube - mniej niż godzina metrem
as soon as - jak tylko
A to Z - plan miasta w formie książki
information desk - punkt informacyjny

Tłumaczenie

Lądowanie. „Mówi kapitan. Witamy na Lotnisku Heathrow w Londynie. Jest 9.45 czasu miejscowego. Proszę pozostać na miejscach i nie odpinać pasów, dopóki samolot nie zatrzyma się całkowicie. Życzymy miłego pobytu." **H:** Gotowa? **A:** Chyba tak. **H:** Najpierw kontrola paszportowa, a potem odbierzemy bagaż. **A:** A co z odprawą celną? **H:** Po prostu kieruj się znakami. Jeśli się nie ma niczego do oclenia, przechodzi się przez wyjście oznaczone kolorem zielonym. Celnicy mogą zatrzymywać ludzi i przeszukiwać im bagaż, ale to nieczęsto się zdarza. **A:** A jeśli mam? **H:** To przez czerwone. **A:** Nie mogę znaleźć paszportu. O, jest! Boże, mam nadzieję, że wszystko wzięłam. **H:** Nie ma potrzeby się spieszyć. Gotowa? No to chodźmy. **A:** Jak daleko stąd do centrum Londynu? **H:** Mniej niż godzinę metrem - linią Piccadilly. **A:** Jak mam dojechać pod ten adres? **H:** Nie jestem pewien. Jak tylko przejdziemy przez odprawę celną, możemy kupić „Od A do Z" i pójść do biura informacji. **A:** Co to jest „Od A do Z"...?

Więcej słówek i zwrotów

Which terminal for flights to...? - Z którego terminalu są loty do...?
economy/business/first class - turystyczna/biznes/1. klasa
a window/aisle seat - miejsce przy oknie/przejściu
delayed/cancelled/full - opóźniony/odwołany/przepełniony
Where's gate fifteen? - Gdzie jest wyjście numer 15?
show your boarding pass - okazać kartę pokładową
What time do we arrive? - O której dojeżdżamy?
What's the purpose of your visit? - Jaki jest cel pana wizyty?
open your suitcase - otworzyć walizkę
personal things and presents - rzeczy osobiste i prezenty

Jak to działa?

Tryb rozkazujący

Trybu rozkazującego używamy w instrukcjach, radach, wskazówkach i rozkazach, a także w zaproszeniach:

Call *me Harry.* (Mów/mówcie do mnie Harry.)
Come *in.* (Wejdź/wejdźcie./Proszę wejść.)
Follow *the signs.* (Kieruj/kierujcie się znakami.)
Don't mind *me.* (Nie przejmuj/przejmujcie się mną.)
Push. (Pchaj.)

W trybie rozkazującym czasownik występuje bez końcówek i bez zaimka osobowego:
Come *here.* (Chodź/chodźcie tu.)

Przeczenie tworzymy, dodając operator **don't**:
Don't wait *for me.* (Nie czekaj/czekajcie na mnie.)

Dodając **please** z odpowiednią intonacją można złagodzić wypowiedź:
Please show *your boarding pass.* (Proszę okazać kartę pokładową.)
Open *your suitcase,* ***please.*** (Proszę otworzyć walizkę.)
Please don't do *that.* (Proszę tego nie robić.)

Let's... używamy wraz z trybem rozkazującym do wyrażenia propozycji lub sugestii:

Let's go. (Chodźmy.)
Let's not go./Don't let's go. (Nie idźmy.)

Wyrażenia modalne: can

Czasowniki modalne modyfikują znaczenie czasownika. **Can** oznacza **możliwość**, **zdolność** lub **umiejętność** zrobienia czegoś:

We ***can get*** *an A to Z.* (Możemy kupić „A do Z".)

Czasownik główny występuje bez żadnych końcówek:
Customs officers ***can stop*** *you.* (Celnicy mogą cię zatrzymać.)

Przeczenia tworzymy dodając **not/n't** do czasownika modalnego:
I ***can't find*** *my passport.* (Nie mogę znaleźć paszportu.)

Czasownik: get

Get to jeden z najczęściej używanych czasowników, zwłaszcza w mowie potocznej. Tłumaczony zależnie od kontekstu może zastąpić wiele różnych wyrazów:

How do I ***get to*** *this address?* (Jak dojechać pod ten adres?)
We can ***get*** *an A to Z.* (Możemy kupić „A do Z".)

Wyrazy wskazujące: zaimki dzierżawcze

Zaimków dzierżawczych używamy częściej w jęz. ang. niż w jęz. pol.:

This is ***your*** *Captain speaking.* (Mówi kapitan.)
I'm going with ***my*** *friend.* (Idę/jadę/lecę z przyjacielem.)
Please remain seated with ***your*** *seat belts fastened.* (Proszę pozostać na miejscach w zapiętych pasach.)

Zaimki dzierżawcze

my - mój
your - twój, wasz, pański
her - jej
his - jego
its - swój
our - nasz
their - ich

ćwiczenia

1. Dopasuj sytuacje a-e do wypowiedzi 1-7:

..... **1.** *I'd like a window seat.*
..... **2.** *Please show your passport.*
..... **3.** *Open your suitcase, please.*
..... **4.** *"This is your Captain speaking."*
..... **5.** *I can't see our luggage.*
..... **6.** *Which terminal for flights to Poland?*
..... **7.** *I've only got personal things and presents.*

a. *checking in*
b. *touch down*
c. *passport control*
d. *baggage reclaim*
e. *customs*

2. Wybierz i wstaw odpowiednie zaimki z ramki:

my, your, her, his, its, our, their

1. *Please remain seated with .... seat belts fastened.*

2. *Let's pick up .... luggage.*

3. *I can't find .... passport.*

4. *Harry this is .... friend Basia.*

5. *We hope you enjoy .... stay.*

3. Ułóż wyrazy w odpowiedniej kolejności.

1. *check officers customs your luggage can.*
2. *exit through green the go marked.*
3. *to no rush need.*
4. *an can we A to Z get.*
5. *I address do get how to this?*

4. Dopasuj fragmenty a-h do 1-8, aby utworzyć sensowne wypowiedzi.

1. *Please show*	**a.** *me.*
2. *Welcome to*	**b.** *go.*
3. *Go through*	**c.** *your suitcase, please.*
4. *Just follow*	**d.** *Harry.*
5. *Don't mind*	**e.** *London.*
6. *Call me*	**f.** *the exit marked green.*
7. *Open*	**g.** *your boarding pass.*
8. *Let's*	**h.** *the signs.*

5. Dodaj przeczenia.

1. *Follow Harry.* ....
2. *Go through customs.* ....
3. *Please open my suitcase.* ....
4. *Push.* ....
5. *Let's go by bus.* ....

A to Z

Pierwszy *A to Z* (A do Z) Londynu wydano w 1936 r. Nazwa ta stała się synonimem *street atlas* (plan miasta). Podobnie stało się z walkmanem i innymi artykułami. *Hoover*, marka jednego z pierwszych popularnych odkurzaczy, jest nie tylko synonimem *vaccuum cleaner* (odkurzacz), ale także czasownikiem *hoover/vacuum* (odkurzać).

Klucz do ćwiczeń

1. 1a 2a/c 3e 4b 5d 6a 7e **2.** 1. your 2. our 3. my 4. my 5. your **3.** 1. Customs officers can check your luggage. 2. Go through the exit marked green. 3. No need to rush. 4. We can get an A to Z. 5. How do I get to this address? **4.** 1g 2e 3f 4h 5a 6d 7c 8b **5.** 1. Don't follow... 2. Don't go... 3. Please don't open... 4. Don't push. 5. Let's not go.../Don't let's go...

3. Checking In

ANIA:	- Good morning.
RECEPTIONIST:	- Good afternoon, madam. How can I help you?
ANIA:	- My name's Anna Kowalska. I have a reservation.
RECEPTIONIST:	- Just one moment... Could you spell your surname please?
ANIA:	- K O W A L S K A. I confirmed by email two days ago.
RECEPTIONIST:	- Here we are. You booked a single room with an en suite bathroom.
ANIA:	- That's right.
RECEPTIONIST:	- If you could just sign here please... thank you.
ANIA:	- Anything else?
RECEPTIONIST:	- No, that's all, thank you. Here's your key. Room number three hundred three on the third floor.
ANIA:	- Err, at what times is the hotel restaurant open?
RECEPTIONIST:	- Breakfast is served from 7.15 until 11.15, and is included in the price of the room; lunch is from 12.30 till 3.30 and dinner from 7.00 till around midnight.
ANIA:	- And at other times?
RECEPTIONIST:	- Well, you can ring for room service at any time of the day or night.
ANIA:	- Thank you very much.
RECEPTIONIST:	- The lift is just behind you, to your right. If you need anything at all, please call reception.

Słownictwo

receptionist - recepcjonista
spell your surname - przeliterować nazwisko
confirm by email - potwierdzać e-mailem
here we are - o, jest!
book a single room - zarezerwować pokój 1-osobowy
with an en suite bathroom - z łazienką
that's right - zgadza się
sign - podpisać się
Anything else? - Czy coś jeszcze?
that's all - to wszystko
key - klucz

floor - piętro
at what times? - w jakich godzinach?
be open - otwarte
serve - podawać
until/til - do
included in the price of sth - wliczone w cenę czegoś
around midnight - około północy
and at other times - a w innych porach dnia
ring for sb - dzwonić po kogoś
room service - obsługa hotelowa
at any time - o jakiejkolwiek porze
lift - winda
just behind - tuż za
to your right - na prawo
anything at all - cokolwiek

Tłumaczenie

Meldowanie się. **A**: Dzień dobry. **R**: Dzień dobry pani. W czym mogę pomóc? **A**: Nazywam się Anna Kowalska. Mam rezerwację. **R**: Już sprawdzam. Czy mogłaby pani przeliterować nazwisko? **A**: K jak Katarzyna, O jak Olga... W, A, L, S, K, A. Potwierdzałam e-mailem 2 dni temu. **R**: O, jest! Rezerwacja na jedynkę z łazienką. **A**: Zgadza się. **R**: Czy mogłaby pani tutaj podpisać... dziękuję. **A**: Czy coś jeszcze? R: Nie, dziękuję. Oto klucz. Pokój numer 303 na trzecim piętrze. **A**: W jakich godzinach jest czynna restauracja? **R**: Śniadanie jest podawane od 7.15 do 11.15 i jest wliczone w cenę pokoju, obiad od 12.30 do 15.30, a kolacja od 19.00 do około północy. **A**: A w innych porach dnia? **R**: Można dzwonić do obsługi hotelowej o dowolnej porze. **A**: Bardzo dziękuję. **R**: Winda jest tuż za panią, na prawo. Jeśli czegokolwiek by pani potrzebowała, proszę dzwonić do recepcji.

Więcej słówek i zwrotów

Do you have any vacancies? - Czy są wolne pokoje?
I'd like a double room for three nights. - Poproszę pokój 2-osobowy na 3 noce.
The key to room 303, please. - Proszę, klucz do pokoju 303.
Are there any messages for me? - Czy są dla mnie wiadomości?
Please wake me at... - Proszę mnie obudzić o...
Could you call a cab for me, please? - Czy mogę prosić o taksówkę?
Could I have a pillow please? - Czy mogę poprosić o poduszkę?
There are no towels. - Nie ma ręczników.
I'll see to it immediately. - Zajmę się tym natychmiast.
The light doesn't work. - Światło nie działa.
Could you show me how this works? - Przepraszam, jak to działa?

Jak to działa?

PAST SIMPLE: wyrażanie przeszłości

Czasu **Past Simple** używamy m.in. do opisania faktów w określonym czasie w przeszłości:

I ***confirmed*** *by email.* (Potwierdziłem e-mailem.)
You ***booked*** *a single room.* (Zarezerwował pan jedynkę.)

Operatorem w czasie Past Simple jest czasownik **did**:

stwierdzenia		przeczenia		pytania	
I/you				*I/you/*	
we/they	*booked*	***didn't*** *book*	***Did***	*we/they*	*book*
he/she/it				*he/she/it*	

Strona bierna

Strony biernej używamy, kiedy nie jest ważne lub nie ma potrzeby wskazywać, kto wykonuje czynność:

Breakfast ***is served*** *from 7.15 until 11.15, and* ***is included*** *in the price of the room.* (Śniadanie **jest podawane** od 7.15 do 11.15 i **jest wliczone** w cenę pokoju.)

W czasie Present Simple, **stronę bierną** tworzymy używając operatora **be** i **3. formy czasownika głównego**.

	stwierdzenia	przeczenia	pytania
I	*'m/am served*	*'m not/am not served*	*Am I served*
you/	*'re/are served*	*aren't/ served*	*Are you/ served*
we/they/	*'re not/are not*	*we/they*	
he/she/it	*'s/is served*	*isn't/ served*	*Is he/she/it served*
		's not/is not	

Czasowniki: formy regularne i nieregularne

Forma z końcówką **-s** (3. osoba – he/she/it – w czasie Present Simple) jest **regularna we wszystkich czasownikach**. Do formy podstawowej dodajemy:

- tylko **s**:
  meet - meets (spotykać się)
  play - plays
- czasami **es**:
  wash - washes (myć)
  go - goes (iść)
- czasami **ies**:
  fly - flies
  try - tries

Forma z końcówką **-ing** (np. w czasie Present Continuous) jest także **regularna we wszystkich czasownikach**.

Do formy podstawowej:
- dodajemy tylko **-ing**:
  flying, going, meeting, playing, washing
- lub usuwamy końcową literę **e** i dodajemy **-ing**:
  leave - leaving, serve - serving
- lub podwajamy ostatnią literę i dodajemy -**ing**:
  stop - stopping, begin - beginning (zaczynać)

Porównaj wymowę:
hope - hoping (mieć nadzieję) /həʊp, həʊpɪŋ/
hop - hopping (skakać na jednej nodze) /hɒp, hɒpɪŋ/

W tabelach czasowników nieregularnych podawane są **3 formy**:
1. forma (teraźniejsza – podstawowa/bezokolicznik)
2. forma (przeszła – forma ***-ed*** – Past Simple)
3. forma (forma ***-en/-ed*** – strona bierna/Perfect)

1. forma	2. forma	3. forma
eat (jeść)	*ate*	*eaten*
fly (latać)	*flew*	*flown*
read (czytać)	*read*	*read*
think (myśleć)	*thought*	*thought*

Niektóre z najczęściej używanych czasowników są nieregularne np.: **go**, **come**, **leave**, **think**, **meet** itp.

Wszystkie operatory mają formy nieregularne:

be	*(am, is, are)*	***was/were***	***been***	*(being)*
do	*(do, does)*	***did***	***done***	*(doing)*
have	*(have, has)*	***had***	***had***	*(having)*

W czasownikach regularnych 2. i 3. forma zawsze jest taka sama. Do formy podstawowej dodajemy **-d** lub **-ed**:

1. forma	2. forma	3. forma
confirm (potwierdzić)	*confirmed*	*confirmed*
work (pracować)	*worked*	*worked*
include (włączać)	*included*	*included*
invite (zaprosić)	*invited*	*invited*

W czasownikach kończących się na spółgłoskę + y po spółgłosce skreślamy **-y** i dodajemy **-ied**.

try - tried (próbować), *cry - cried* (płakać)

W czasownikach zakończonych na spółgłoskę, w sylabie akcentowanej, podwajamy ostatnią literę:

stop - stopped (przestawać), *permit - permitted* (pozwalać)

Końcówkę **-ed** wymawiamy zależnie od dźwięku ostatniej litery czasownika:

- /d/ po dźwięcznych: *served* /sɜ:vd/ *played* /pleɪd/
- /t/ po bezdźwięcznych: *worked* /wɜ:kt/, *stopped* /stɒpt/
- /ɪd/ po /d/ i /t/: *included* /ɪnklu:dɪd/, *invited* /ɪnvaɪtɪd/

Wyrażenia modalne: could

Czasownik modalny **could**, podobnie jak **can**, oznacza możliwość lub zdolność. **Could** używamy m.in., aby zachować odpowiedni stopień uprzejmości lub oficjalności, zwłaszcza w prośbach:

> ***Could*** *you spell your surname please?* (Czy **mogłaby** pani przeliterować nazwisko?)
> *If you* ***could*** *just sign here please.* (Czy **mogłaby** pani tutaj podpisać.)

ćwiczenia

1. Ułóż wypowiedzi w odpowiedniej kolejności od 1-7 tak, by tworzyły sensowny dialog:

..... **a.** *If you could just sign here please... thank you*
..... **b.** *Just one moment, please. Yes, we do Madam.*
..... **c.** *No, thank you very much.*
..... **d.** *I'd like a double room for 3 nights, please.*
..... **e.** *Do you have any vacancies?*
..... **f.** *Anything else?*
..1.. **g.** *Good afternoon, madam. Can I help you?*

2. Ułóż wyrazy w każdym zdaniu w odpowiedniej kolejności tak, by powstały sensowne dialogi.

1. *key 303, to please room the.* ....
2. *are here we.* ....
3. *are any me messages there for?* ....
4. *moment, one please just.* ....
5. *me excuse.* ....
6. *I can you help?* ....
7. *there I'm are towels afraid no.* ....
8. *immediately to see I'll it.* ....

3. Przekształć rozkazy na uprzejme prośby.

1. *Help me.* ....

2. *Wake me at 7.00 am.* ....

3. *Spell your surname.* ....

4. *Call a cab for me.* ....

5. *Show me how this works.* ....

4. Wstaw wyrazy w nawiasach w odpowiedniej formie tak, by powstały poprawne zdania w czasie Past Simple.

1. *We hope* .... *your stay. (enjoy, you)*

2. .... *a room by email? (book, you)*

3. .... *in Poland three years ago. (live, she)*

4. .... *together? (work, they)*

5. .... *me to Basia. (introduce, Harry)*

6. *The* .... *how it works. (receptionist, explain)*

5. Uzupełnij tabelę.

	1. forma	*2. forma*	*3. forma*
1.	*be*	*was/were*	....
2.	....	*came*	*come*
3.	*do*	....	*done*
4.	*eat*	*ate*	....
5.	*fly*	....	*flown*

6.	....	*went*	*gone*
7.	*have*	....	*had*
8.	*leave*	*left*	....
9.	*read*	....	*read*
10.	*ring*	*rang*	....
11.	*think*	....	*thought*

6. Uzupełnij luki formą **-s**, **-ing** lub **-ed**.

1. *work*	*works*	*working*	*worked*
2. *begin*	*begins*	....	*begun*
3. *fly*	....	*flying*	*flown*
4. *go*	....	*going*	*gone*
5. *hop*	*hops*	*hopping*	....
6. *hope*	*hopes*	....	*hoped*
7. *permit*	*permits*	*permitting*	....
8. *plan*	*plans*	....	*planned*
9. *play*	....	*playing*	*played*
10. *stop*	*stops*	*stopping*	....
11. *wash*	....	*washing*	*washed*
12. *try*	*tries*	*trying*	....

Sir/Madam

W większości sytuacji zwracamy się do innych, używając formy *you* (pan/pani/państwo/ty/wy). *Sir/Madam* to formy grzecznościowe, niegdyś odpowiedniki polskiego „pan/pani", ograniczone do nielicznych sytuacji: w hotelach i restauracjach, listach formalnych itp.

Klucz do ćwiczeń

1. g, e, b, d, a, f, c **2.** 1. The key to room 303, please. 2. Here we are. 3. Are there any messages for me? 4. Just one moment, please. 5. Excuse me. 6. Can I help you? 7. I'm afraid there are no towels. 8. I'll see to it immediately. **3.** 1-5. Could you......., please?/Please... **4.** 1. ...you enjoyed... 2. Did you book... 3. She lived... 4. Did they work... 5. Harry introduced... 6. ...receptionist explained... **5.** 1. been 2. come 3. did 4. eaten 5. flew 6. go 7. had 8. left 9. read 10. rung 11. thought **6.** 2. beginning 3. flies 4. goes 5. hopped 6. hoping 7. permitted 8. planning 9. plays 10. stopped 11. washes 12. tried

4. Texting

SMS: Call U L8R? ATB ***Harry*** > W8TNG 4 YR call ***Ania***

ANIA: - Hi Harry!
HARRY: - Hello! I tried the hotel but you weren't in your room. I hope I'm not interrupting anything?
ANIA: - I'm having a coffee in a little café not far from the hotel.
HARRY: - How do you like London so far?
ANIA: - Very much.
HARRY: - Have you got any plans for tomorrow evening?
ANIA: - No, not yet...
HARRY: - I'm meeting an old friend of mine at 7.00.
I was wondering if you'd like to join us?
ANIA: - That would be lovely.
HARRY: - We could meet earlier. I'm free all afternoon.
ANIA: - What time and where?
HARRY: - Maybe around 1.30 by Nelson's Column. We could have a sandwich, feed the pigeons and then do a bit of sightseeing.
ANIA: - Sounds great.
HARRY: - Do you like Italian food?
ANIA: - Yes, I do.
HARRY: - Dave says there's an excellent new Italian place.
ANIA: - It's not too expensive, I hope?
HARRY: - No, no it isn't. See you tomorrow then?
ANIA: - Yes, you will.
HARRY: - Call or text me if you need anything.
ANIA: - Thank you. Bye.

Słownictwo

mobile phone/mobile - telefon komórkowy/komórka
later - później
all the best - pozdrawiam
wait for a call - czekać na telefon
interrupt - przerywać
have a coffee/sandwich - pić kawę/jeść kanapkę
not far - niedaleko
like sth very much - bardzo coś lubić
so far - jak dotąd
not yet - jeszcze nie

I was wondering if... - zastanawiałem się czy...
...you'd like to... - ...chciałabyś...
...join us - ...dołączyć do nas
that would be lovely - byłoby bardzo miło
I'm free - jestem wolny (mam czas)
column - kolumna
feed the pigeons - karmić gołębie
do a bit of sightseeing - trochę pozwiedzać
sounds great - brzmi świetnie
a new Italian place - nowa włoska knajpka
excellent - znakomity
see you tomorrow - do zobaczenia jutro

Tłumaczenie

SMS-owanie. Zadzwonić później? Pozdrawiam. Harry
Czekam na telefon od ciebie. Ania

A: Cześć Harry! **H:** Halo Aniu! Dzwoniłem do hotelu, ale nie było cię w pokoju. Mam nadzieję, że nie przeszkadzam? **A:** Nie, jestem na kawie w kawiarence obok hotelu. **H:** Jak ci się podoba Londyn póki co? **A:** Bardzo. **H:** Czy masz jakieś plany na jutrzejszy wieczór? **A:** Jeszcze nie... **H:** Spotykam się z moim starym przyjacielem o 19.00. Zastanawiałem się, czy nie chciałabyś do nas dołączyć? **A:** Byłoby bardzo miło. **H:** Moglibyśmy się wcześniej spotkać. Jestem wolny przez całe popołudnie. **A:** Gdzie i o której godzinie? **H:** Około 13.30 przy kolumnie Nelsona. Moglibyśmy zjeść kanapkę i nakarmić gołębie, a potem trochę pozwiedzać. **A:** Brzmi cudownie. **H:** Czy lubisz włoskie jedzenie? **A:** Tak lubię. **H:** Dave mówi, że otworzyli wspaniałą nową włoską knajpkę. **A:** Mam nadzieję, że nie jest zbyt droga. **H:** Nie, nie. W takim razie do jutra. **A:** Jesteśmy umówieni! **H:** Zadzwoń lub za-SMS-uj, jakby co. **A:** Dzięki. Pa

Więcej słówek i zwrotów

I'm sorry, I'm busy. - Niestety jestem zajęty.
What should I wear? - W co mam się ubrać?
I'll pick you up at... - Podjadę po ciebie o...
I can't stay for long. - Nie mogę zostać długo.
How are you? - Co u ciebie?
Fine thanks, and you? - No nieźle, a u ciebie?
It was nice meeting you. - Miło było cię poznać.
Come and see me if... - Koniecznie mnie odwiedź, jeśli...
I really have to/must go. - Naprawdę muszę lecieć.
I'll miss the last bus. - Spóźnię się na ostatni autobus.
I'll take you home. - Odwiozę/odprowadzę cię do domu.
Would you like to come? - Czy chciałbyś pójść?

Jak to działa?

Wyrażenia modalne: will

Czasownika modalnego **will** używamy m.in., by sformułować obietnicę, potwierdzić pewność, że coś się stanie, lub wyrazić chęć zrobienia czegoś. **Will** często występuje w skróconej formie **'ll**:

*I'**ll** take you home.* (Odprowadzę/Odwiozę cię do domu.)

Will ma nieregularną formę **won't (will not)** w przeczeniach:
*I **won't** stay for long.* (Nie zostanę długo.)

Wyrażenia z operatorem: krótkie odpowiedzi

W jęz. ang. odpowiadając na pytania ogólne używamy, oprócz „tak" lub „nie", także zaimka i odpowiedniego operatora:

TAK	NIE
DO ***(do, does/did)***	
***Yes**, I/you/we/they **do**.*	***No**, I/you/we/they **don't**.*
***Yes**, she/he/it **does**.*	***No**, she/he/it **doesn't**.*
***Yes**, I/you/she/he... **did**.*	***No**, ...it/we/they **didn't**.*
BE ***(am, is, are/was, were)***	
***Yes**, I **am**.*	***No**, I'**m not**.*
***Yes**, you/we/they **are**.*	***No**, you/we/they **aren't**.*
***Yes**, he/she/it **is**.*	***No**, he/she/it **isn't**.*
***Yes**, I/he/she/it **was**.*	***No**, I/he/she/it **wasn't**.*
***Yes**, you/we/they **were**.*	***No**, you/we/they **weren't**.*
CZASOWNIKI MODALNE	
***Yes**, I/you/she/he... **can**.*	***No**, ...it/we/they **can't**.*
***Yes**, I/you/she/he... **could**.*	***No**, ...it/we/they **couldn't**.*
***Yes**, I/you/she/he... **will**.*	***No**, ...it/we/they **won't**.*

Krótkie komentarze

Zawsze grzeczniej odpowiadać lub komentować krótkim zdaniem niż jednym słowem **"Yes/No"** np: **Very much** (Bardzo), **Sounds great** (Brzmi świetnie), **No, not yet** (Jeszcze nie), **That would be lovely.** (Byłoby bardzo miło.)

Texting

Aby zrozumieć język obcy, trzeba zwracać szczególną uwagę na **kontekst i dźwięk**. **Wymowa niektórych liczb** (1, 2, 4, 8) **i liter** (m.in. B, C, R, U) pozwala na różne skróty językowe:

NE1 - ***anyone*** (ktoś/ktokolwiek)
B4 - ***before*** (przedtem)
me 2 - ***too*** (ja też)
4 U - ***for you*** (dla ciebie)
2day - ***to**day* (dzisiaj)
*GR**8*** - *gr**eat*** (wspaniale)
it's up 2 U - ***to you*** (od ciebie zależy)
L8/L8R - ***late**/**late**r* (późno/później)
R U free? - ***are you*** (masz czas?)
Y - ***why*** (dlaczego)

Często używane zwroty skraca się:

ATB - ***a**ll **t**he **b**est*
K - *O**k**ay/OK*
IMO - ***i**n **m**y **o**pinion* (według mnie)

z wielu słów **można także usunąć samogłoski:**

RNNG - *running*
CMNG - *coming*
SPK - *speak*
YR - *your*
RGDS - *regards* (pozdrawiam)
MSG - *message* (wiadomość)
XLNT - *excellent* (doskonale)
PLS - *please*
THX - *thanks*
THNQ - *thank you*

ćwiczenia

1. Dopasuj komentarze a-g do wypowiedzi 1-7 tak, by stworzyć 2 sensowne dialogi.

1. *Are you doing anything this evening?*
2. *All evening?*
3. *I'm meeting Dave at 6.00. Would you like to join us?*

4. *Are you free this evening?*
5. *We're going to a disco. Would you like to come?*
6. *Anything you like.*
7. *I'll pick you up at 7.00.*

a. *Oh, great.*
b. *No, not all evening.*
c. *How do I get there?*
d. *Yes, I am.*
e. *What should I wear?*
f. *I'm sorry, but I'm busy.*
g. *I'd love to, but I won't stay for long.*

2. Dopasuj komentarze a-i do wypowiedzi 1-9.

1. *Let's have lunch and then do some sightseeing.*
2. *Do you like Italian food?*
3. *Have you got any plans for tomorrow evening?*
4. *I'll pick you up at 7.00.*
5. *It's not too expensive, I hope?*
6. *Will I see you tomorrow?*
7. *Do you like London?*
8. *Can you come?*
9. *How are you?*

a. *Fine thanks, and you?*
b. *Sounds great.*
c. *Very much.*
d. *Not very much.*
e. *That would be lovely.*
f. *No, not yet.*
g. *I'm not sure.*
h. *Not very.*
i. *Sorry, I'm busy.*

3. Odpowiedz tak/nie. Spróbuj dodać krótki komentarz.

Can you come? — *Yes, I can. Later today.*
No, I can't. I'm busy.

1. *Is it far to central London?* ....

2. *I'll miss my last bus.* ....
3. *Could you come to see me?* ....
4. *Do you like flying?* ....
5. *I really have to go.* ....

4. Wstaw odpowiedni czasownik z ramki i formę **will/'ll** lub **won't**.

stay see take pick up

1. *He* .... *you* .... *at 8.00.*
2. *I* .... *for long.*
3. *I* .... *you home.*
4. *No, he* ....
5. *We* .... *you tomorrow.*
6. *Yes, they* ....

5. Przepisz zwroty jako SMS-y.

1. *See you before I go.*
2. *All the best.*
3. *Speak to me.*
4. *Please call later.*
5. *Thanks for your message*
6. *Are you coming?*
7. *Thank you for your call.*

„SMS" a „Text"

SMS to skrót z angielskiego *Short Message Service* (serwis krótkich wiadomości) i jest zwrotem wyłącznie technicznym. W potocznym języku angielskim „SMS" to *text message* (wiadomość tekstowa)/*text* (tekst), a „SMS-ować" to *text* np. *I've got a text message from Harry.* (Mam SMS-a od Harry'ego.)/*Harry didn't call or text me.* (Harry nie dzwonił ani mi nie za-SMS-ował.)

Klucz do ćwiczeń

1. 1f 2b 3g 4d 5e 6c 7a **2.** 1b 2c/d 3f 4e 5h 6g 7c/d 8i 9a **3.** 1. Yes, it is. (np. Go by tube.)/No, it isn't. (np. Not very.) 2. Yes, you will. (np. Run!)/No you won't. (np. It goes at midnight.) 3. Yes, I could. (np. Before 11.00.)/No, I can't. (np. I'm sorry.) 4. Yes, I do. (np. It's great.)/No, I don't. (np. Not very much.) 5. Yes, you do. (np. It's late.)/No, you don't. np. (Not yet.) **4.** 1. …'ll pick you up… 2. …won't stay… 3. …'ll take… 4. …won't. 5. …'ll see… 6. …will. **5.** 1. C U B4 I go 2. ATB 3. SPK 2 me 4. PLS call L8R 5. THX 4 YR MSG 6. R U CMNG? 7. THNQ 4 YR call

5. Taxi

ANIA:	- Good afternoon. Trafalgar Square, please.
TAXI DRIVER:	- Any place in particular?
ANIA:	- Nelson's Column and I'm in a bit of a hurry. Ooh, an SMS from Harry
SMS:	- R U CMNG?
TAXI DRIVER:	- It'll take about 15 minutes.
ANIA:	- Thank you. I should write an SMS back.
SMS:	- RNNG L8. C U in 15m.
TAXI DRIVER:	- How long have you been in London?
ANIA:	- A few days.
TAXI DRIVER:	- First time?
ANIA:	- Yes, it is.
TAXI DRIVER:	- Where are you from?
ANIA:	- Poland.
TAXI DRIVER:	- There are quite a lot of Poles in London these days.
ANIA:	- Yes, I've heard some Polish around.
TAXI DRIVER:	- Have you done much sightseeing?
ANIA:	- Not much. Which are your favourite places in London?
TAXI DRIVER:	- Well, my favourite, love, is St. Paul's Cathedral. The best time to go is at evensong to hear the choir and for the atmosphere.
ANIA:	- I'll keep that in mind. Anywhere else?
TAXI DRIVER:	- For a good view of London, take a ride on the London Eye or go to Waterloo Bridge. Walk from the south to the north bank and look out along the Thames to the east. You'll see the City and the East End. It's a wonderful sight.
ANIA:	- Oh, here we are. How much do I owe you?
TAXI DRIVER:	- That'll be £20... Thanks.

Słownictwo

taxi driver - taksówkarz
square - plac
in particular - w szczególności
be in a hurry - spieszyć się
take about - zajmować około
run late - spóźniać się
in five mins time - za 5 minut
hear - słyszeć

favourite - ulubiony
evensong - wieczorna msza anglikańska
choir - chór
atmosphere - atmosfera
keep sth in mind - mieć coś na uwadze/pamiętać
view - widok
take a ride - przejechać się
bridge - most
walk from... to... - przejść się od... do...
river bank - brzeg rzeki
along the Thames - wzdłuż Tamizy
look to the... - patrzeć na/w kierunku...
wonderful sight - cudowny/wspaniały widok
here we are - no to jesteśmy na miejscu
owe sb sth - być komuś coś winnym

Tłumaczenie

Taksi! **A:** Dzień dobry. Poproszę na plac Trafalgar. **T:** Gdzie dokładnie? **A:** Kolumna Nelsona. Trochę się spieszę. **SMS:** „Będziesz? Harry" **T:** Dojedziemy za około 15 minut. **A:** Dziekuję. **SMS:** „Spóźniam się - dojadę za 15 minut Ania" **T:** Jak długo jest pani w Londynie? **A:** Od paru dni. **T:** Pierwszy raz? **A:** Tak, pierwszy. **T:** Skąd pani pochodzi? **A:** Z Polski. **T:** Jest teraz dość dużo Polaków w Londynie. **A:** Tak, słyszałam tu trochę polskiego. **T:** Pozwiedzała pani choć trochę? **A:** Nie, niewiele. Jakie są pana ulubione miejsca w Londynie? **T:** Moje ulubione... katedra św. Pawła. Najlepiej pójść na mszę wieczorną, posłuchać chóru, i dla atmosfery. **A:** Będę pamiętać. Gdzieś jeszcze? **T:** Żeby obejrzeć Londyn, warto się wybrać na przejażdżkę London Eye lub dojechać do mostu Waterloo, przejść się z południowego brzegu na pólnocny i spojrzeć na wschód wzdłuż Tamizy. Zobaczy pani dzielnice City i East End. Cudowny widok! **A:** Jesteśmy, tak? Ile płacę? **T:** 20 funtów... Dzięki.

Więcej słówek i zwrotów

How much is it to...? - Ile kosztuje przejazd do...?
Can you take me to...? - Czy mogę prosić do/na...?
I'd like to go to... - Chciałbym do/na...
Where's the nearest...? - Gdzie jest najbliższy...?
How far is it to...? - Jak daleko do...?
Where can I find...? - Gdzie jest/mogę znaleźć...?
Where do you want to get out? - Gdzie pan chce wysiąść?
Could you stop here, please. - Czy mógłby pan się tu zatrzymać?
Could you let me out here, please. - Proszę mnie tu wyrzucić.
at the corner/at St. Paul's - na rogu/pod św. Pawłem
Keep the change. - Reszty nie trzeba.

Jak to działa?

Określenia ilości: much, many itp.

Wybór określenia ilości zależy od tego, czy rzeczownik, który opisujemy, jest policzalny czy niepoliczalny.

Z rzeczownikami policzalnymi:

a few (kilka/parę):
For a few *days.* (Na parę dni.)
There's ***quite a few*** *people.* (Jest dość dużo ludzi.)

many (dużo/wiele) używamy głównie w pytaniach i przeczeniach:

There ***aren't many*** *Poles in London.* (Jest **niewielu** Polaków w Londynie.)
Are there many *Poles in London?* (**Czy jest wielu** Polaków w Londynie?)

Z rzeczownikami niepoliczalnymi:

much (dużo/wiele) używamy głównie w pytaniach i przeczeniach:

Not much. (Niewiele.)
How much *money do I need?* (**Ile** pieniędzy potrzebuję?)

Rzeczowniki **money** (pieniądz/-e), **information** (informacja/-e), **advice** (rada/-y), są niepoliczalne.

a bit of, a little (trochę):
I'm in ***a bit of*** *a hurry.* (**Trochę** się spieszę.)
A bit of *chocolate.* (**Kawałek** czekolady.)
Just ***a little*** *sugar.* (Tylko **trochę** cukru.)

Z rzeczownikami policzalnymi i niepoliczalnymi:

a lot of, **lots of**, **loads of** **(dużo/wiele)**:
*There are **quite a lot of** Poles in London.* (Jest **dość dużo** Polaków w Londynie.)
*There was **a lot of** trouble with this.* (Było z tym **mnóstwo** kłopotu.)

Some/Any

Some **(trochę/kilka)** częściej używamy w zdaniach twierdzących, a **any** **(jakiekolwiek/żaden/każdy)** częściej w przeczeniach. W pytaniach **some** i **any** są równie często używane:

*I've heard **some** Polish.* (Słyszałem trochę polskiego.)
***Any** place in particular?* (Jakieś szczególne miejsce?)
*Would you like **some** tea?* (Czy masz ochotę na herbatę?)
*I don't have **any** money.* (Nie mam żadnych pieniędzy.)

Oba wyrazy możemy łaczyć z innymi, np. **thing** i **where**. Wybór między **some/any** zależy od kontekstu, czasem z nieznaczną różnicą w znaczeniu. Porównaj:
***Something** else?* (Coś jeszcze?)
***Anything** else?* (Coś jeszcze?)
*Let's go **somewhere** else.* (Chodźmy gdzie indziej.) - „Wybierzmy jakieś inne miejsce."
*Let's go **anywhere** else.* (Chodźmy gdzie indziej.) - „Każde inne miejsce byłoby lepsze."

Określenie czasu: about, around

About/around **(około)** często używamy z określeniami czasu i liczbami:

*It'll take **about** 15 minutes.* (To zajmie około 15 minut.)
***Around** 1.30.* (Około 1.30.)
***About** 20 people.* (Około 20 osób.)

PRESENT PERFECT SIMPLE

Czasu **Present Perfect Simple** używamy m.in. do podsumowania najbliższej przeszłości:

How long ***have you been*** *in London?* (Od kiedy jesteś w Londynie?)

Ten czas łączy przeszłość z teraźniejszością:
Have you done *much sightseeing?* (Czy wiele zwiedziłaś?) - od przyjazdu do Londynu do chwili obecnej.

Present Perfect Simple tworzymy z operatorem **have** i **3. formą czasownika**:

stwierdzenia		przeczenia	pytania
*I/... **'ve**/have*	*worked*	***haven't** worked*	***Have** I/ ... worked*
...you/we/they			*... you/we/they*
*he/she/it's/**has***	*worked*	***hasn't** worked*	***Has** he/she/it worked*

Krótkie odpowiedzi:
Yes, ... ***have/has.*** *No, ...* ***haven't/hasn't.***

Czasownik: have

Czasownik **have** może funkcjonować jako czasownik zwykły w różnych czasach:

Present Simple: *We* ***don't have*** *a car.* (Nie mamy samochodu.)
Past Simple: ***Did*** *you* ***have*** *fun?* (Dobrze się bawiliście?)
Present Continuous: ***I'm having*** *lunch.* (Jem obiad.)
Present Perfect: *He****'s had*** *a day off.* (Miał dzień wolny.)

ćwiczenia

1. Ułóż dwa dialogi. Dopasuj wypowiedzi Ani i taksówkarza.

Ania

1. *Waterloo Bridge, please.*
2. *The South Bank. How far is it?*
3. *Thank you.*
4. *Could you let me out here, please.*
5. *Yes, please. How much do I owe you?*
6. *Keep the change.*

Taxi Driver

a. *That's £14... Thank you.*
b. *Any place in particular?*
c. *On the corner?*
d. *It'll take about 20 minutes.*

2. Ułóż wyrazy w odpowiedniej kolejności. Dobierz komentarze a-c.

1. *to how it is much Oxford Street?*

....

2. *a in of I'm bit hurry a.*

....

3. *you do out where to get want?*

....

a. *It won't take long.*
b. *On the corner, please.*
c. *About £15.*

3. Przekształć zdania w uprzejme prośby. Użyj wyrażeń z ramki:

I'd like to ***could you*** ***could I*** ***please***

1. *Take me to the East End.* ....
2. *Get out here.* ....
3. *Go to London Bridge.* ....
4. *Stop here.* ....

4. Dopasuj odpowiedzi a-d do pytań 1-4.

1. *Have you done much sightseeing?*
2. *Where are you from?*
3. *Your first time?*
4. *How long have you been in London?*

a. *A few days.*
b. *Yes, it is.*
c. *Poland.*
d. *Not much.*

5. Wstaw odpowiednie określenia ilości z ramki:

about ***around*** ***any*** ***some*** ***anywhere***
anything ***a few*** ***a lot of*** ***much*** ***a bit of***

1. *Do you need .... else?*
2. *There are .... places to see in London.*
3. *I speak .... English.*
4. *I'm in .... a hurry.*
5. *It takes .... 10 mins.*
6. *................ place in particular?*
7. *How .... is it?*
8. *I'm here for .... days.*
9. *Are you going ....?*
10. *What's the time? It's .... 3.00.*

6. Przekształć pytania na stwierdzenia. Użyj wyrazów podanych w nawiasach.

1. *Have you been to London? (he)*

   ....

2. *Have you booked a room? (I)*

   ....

3. *Have you checked in at the Hotel? (we)*

   ....

4. *Have you done any sightseeing? (they, not)*

   ....

5. *Have you had lunch? (I, not)*

   ....

The Black Cab

Londyn słynie ze swoich *black cabs* (czarnych taksówek). Kiedy są wolne, napis *Taxi* świeci się na żółto. Taksówkę można zatrzymywać gdziekolwiek. Właściwie nie ma postojów w innych miejscach niż dworce. By zdobyć licencję taksówkarza, kierowca musi zdać bardzo trudny egzamin zwany *The Knowledge* (Wiedza) ze szczegółowej znajomości Londynu. Nieco tańsza od taksówki jest *minicab* (mała taksówka). Są to samochody osobowe, które można zamówić tylko telefonicznie – ich kierowcom nie wolno brać pasażerów z ulicy.

Klucz do ćwiczeń

1. 1b 2d 3 – 4c 5a 6 – **2.** 1c/How much is it to Oxford Street? 2a/I'm in a bit of a hurry. 3b/Where do you want to get out? **3.** 1. Could you take me…, please/Please take me… 2. I'd like to/Could I get out…, please. 3. I'd like to go to…, please. 4. Could you stop…, please/Please stop… **4.** 1d 2c 3b 4a **5.** 1. anything 2. a lot of 3. some 4. a bit of 5. about/around 6. any 7. much 8. a few 9. anywhere 10. about/around **6.** 1. He's been… 2. I've booked… 3. We've checked in… 4. They haven't done any… 5. I haven't had…

6. Sprawdź się!

12 **1. Rozumienie ze słuchu** Po wysłuchaniu dialogów zdecyduj, które zdania są prawdziwe (True – T), a które fałszywe (False – F).

Dialog 1

1. *Harry and Ania are flying together.* ☐
2. *Harry's going on Thursday.* ☐
3. *Ania's leaving in the afternoon.* ☐

Dialog 2

1. *Ania has no luggage.* ☐
2. *Ania has an aisle seat.* ☐
3. *Ania gets a boarding pass.* ☐

Dialog 3

1. *Ania's staying for one night.* ☐
2. *Ania asked for a double room.* ☐
3. *Ania's room is on the third floor.* ☐

Dialog 4

1. *Harry is with Dave at the moment.* ☐
2. *Ania will come by taxi.* ☐
3. *Harry is meeting Ania at 7.00.* ☐

Dialog 5

1. *Ania's going to London Bridge.* ☐
2. *Ania doesn't know how far it is.* ☐
3. *Ania wants to get out at the tube station.* ☐

2. Test Wybierz właściwą odpowiedź.

1. *I .... 23 years old.*
   a. *'d* ***b.*** *'ve* ***c.*** *'m* ***d.*** *'s*

2. *Could you .... me, please?*
   a. *help* ***b.*** *helps*
   c. *helped* ***d.*** *helping*

3. *How .... money do you have?*
   a. *much* ***b.*** *any*
   c. *many* ***d.*** *some*

4. *I .... he calls me.*
   a. *hoping* ***b.*** *hoped*
   c. *hopped* ***d.*** *hope*

5. *........... you had lunch yet?*
   a. *Did* ***b.*** *Have*
   c. *Has* ***d.*** *Were*

6. *When .... CMNG?*
   a. *BTW* ***b.*** *UR* ***c.*** *4U* ***d.*** *RU*

7. *I'd like .... introduce a friend of mine.*
   a. *you* ***b.*** *to* ***c.*** *–* ***d.*** *a*

8. *Let's go and pick up .... luggage.*
   a. *we* ***b.*** *a* ***c.*** *our* ***d.*** *to*

9. *Could you call a cab .... me, please?*
a. *of* **b.** *from* **c.** *for* **d.** *far*

10. *There will be .... 20 people there.*
a. *a little* **b.** *about*
c. *a lot of* **d.** *lots of*

11. *Can you come? .... I can't.*
a. *It's great.* **b.** *Sounds OK.*
c. *I'm sorry.* **d.** *Not very.*

12. *There's .... need to rush.*
a. *no* **b.** *not*
c. *don't* **d.** *can't*

13. *She .... from Poland.*
a. *come* **b.** *coming*
c. *came* **d.** *comes*

14. *How do I .... to this address?*
a. *gets* **b.** *get*
c. *got* **d.** *getting*

15. *Do you like Italian food?* *.................*
a. *Yes, I am.* **b.** *Yes, I have.*
c. *Yes, I will.* **d.** *Yes, I do.*

3. Krzyżówka

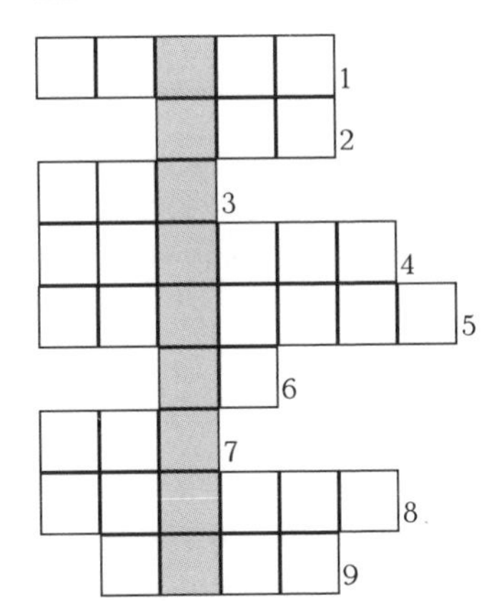

1. *Nazwisko Harry'ego.*
2. *Przeczenie.*
3. *trochę: a .... of*
4. *Breakfast is .... at 8.00.*
5. *Pożegnanie.*
6. *Operator w czasie Present Simple.*
7. *Ty, wy, pan, pani, państwo.*
8. *Proszę o uwagę: .... me.*
9. *3. forma czasownika be.*

Klucz do ćwiczeń

1. Rozumienie ze słuchu. dialog **1** F, T, F; dialog **2** F, F, T; dialog **3** T, F, F; dialog **4** F, F, T; dialog **5** F, T, T **2. Test.** 1–c, 2–a, 3–a, 4–d, 5–b, 6–d, 7–b, 8–c, 9–c, 10–b, 11–c, 12–a, 13–d, 14–b, 15–d
3. Krzyżówka. hasło: introduce (Smith, not, bit, served, goodbye, do, you, Excuse, been)

7. A Taste of London

ANIA: - Harry! Harry!... I'm so sorry I'm late.
HARRY: - That's okay.
ANIA: - So, what have you got planned for me?
HARRY: - To start with, a cheese and tomato sandwich for you and a packet of birdseed for the pigeons - but there's not much left now.
ANIA: - Let's sit over there by the fountain.
HARRY: - Oh, and I've also brought this, a 'London Walks' book, so we can choose what to do next.
ANIA: - Any suggestions?
HARRY: - Either a tour of the traditional sights around here, or something a little off the beaten track. Take your pick.
ANIA: - Something off the beaten track sounds good.
HARRY: - Okay. Look, this is the best route to take. The walk finishes at Leicester Sq. We're meeting Dave there. Shall I lead the way?
ANIA: - Mmm no, I've got the plan, let me.
HARRY: - Lead on, then.
ANIA: - We cross the road here, go straight along the Strand, take the first left into Villiers St. and then on to Watergate Wlk.
HARRY: - And what do we see along the way?
ANIA: - The house where Rudyard Kipling wrote his first book and the only remaining river gate built in 1626.
PASSERBY: – Excuse me, please. I think I'm lost. Do you know the way to Charing Cross Rd.?
ANIA: - Er, Harry...

Słownictwo

a taste of sth - smak czegoś
passerby - przechodzień
I'm sorry I'm late. - Przepraszam za spóźnienie.
plan sth for sb - zaplanować coś dla kogoś
to start with - na początek
a cheese and tomato sandwich - kanapka z serem i pomidorem
a packet of birdseed - paczka ziarna dla ptaków
by the fountain - przy fontannie
a 'London Walks' book - książka o spacerach po Londynie

a tour of the traditional sights - zwiedzanie głównych atrakcji turystycznych
a little off the beaten track - coś poza normalną trasą
take your pick - wybieraj
the best route to take - najlepsza trasa
lead the way/lead on - prowadź
cross the road - przejść przez ulicę
go straight along... - iść prosto wzdłuż...
take the first left into... - w pierwszą w lewo w...
and then on to... - a potem dalej do...
along the way - po drodze
a river gate - brama nad rzeką
be lost - zgubić się
Do you know the way to...? - Czy zna pan drogę do...?

Tłumaczenie

Odrobina Londynu. **A:** Harry! Harry...! Przepraszam za spóźnienie. **H:** Nie szkodzi. **A:** A więc co zaplanowałeś dla mnie? **H:** Na początek kanapkę z serem i pomidorem dla ciebie i paczkę ziarna dla gołębi - ale już niewiele zostało. **A:** Usiądźmy tam, przy fontannie. **H:** Przyniosłem też książkę o spacerach po Londynie, żebyśmy mogli zdecydować co dalej. **A:** Co proponujesz? **H:** Albo zwiedzanie tradycyjnych atrakcji albo coś poza normalną trasą. Wybieraj. **A:** Czyli z dala od tłumów? Brzmi nieźle. **H:** Ok. Patrz, to jest najlepsza trasa. Spacer kończy się na placu Leicester. Tam spotykamy Dave'a. Mam poprowadzić? H: Mmm nie, mam plan... **H:** No to prowadź. **A:** Tu przechodzimy przez ulicę, idziemy prosto wzdłuż 'the Strand', skręcamy w pierwszą w lewo, w ulicę Villiers, a potem dalej do pasażu Watergate. **H:** A co zobaczymy po drodze? **A:** Dom, w którym Rudyard Kipling napisał swoją pierwszą książkę i jedyną zachowaną bramę nad rzeką, wybudowaną w 1926 r. **P:** Przepraszam. Chyba się zgubiłem. Jak mam dojść do ulicy Charing Cross? **A:** Harry...

Więcej słówek i zwrotów

show sb the way to... - wskazać komuś drogę do...
it's the first turning on the left... - pierwsza w lewo...
...and then the second right - ...a potem druga w prawo
turn left at the corner - w lewo na rogu
go past the cinema - mijasz kino
you'll see it on your right - będzie po prawej stronie
it's just/straight past the... - to od razu za...
it's opposite the church - to na przeciwko kościoła
go straight up/down the road/street - prosto tą ulicą
it's a left at the third set of traffic lights - w lewo przy trzecich światłach
follow the road round until you get to the park - tą ulicą, aż dojdziesz do parku

Jak to działa?

ZAIMKI OSOBOWE: me, you, him...

Wybór zaimka osobowego **zależy od** jego **miejsca i funkcji w zdaniu**:

- podmiot (przed czasownikiem głównym):
  I'm late. (**Ja** jestem spóźniona.)
- dopełnienie (po czasowniku głównym):
  *Let **me**.* (Pozwól **mi**.)

I - ja	***me*** - mnie/mi
you - ty/pan/pani	***you*** - tobie/panu/pani
he - on	***him*** - jemu/jego
she - ona	***her*** - jej
it - ono	***it*** - je
we - my	***us*** - nam
you - wy/państwo	***you*** - wam/państwu
they - oni	***them*** - ich/je/im

PRESENT SIMPLE: wyrażanie przyszłości

Czasu Present Simple używamy do wyrażania przyszłości, kiedy mówimy **o sytuacjach niezmiennych**:

*What **do** we **see** along the way?* (Co zobaczymy po drodze?) - zgodnie z mapą, na którą patrzymy.

Dlatego Present Simple często wykorzystujemy, mówiąc o rozkładach jazdy, planach podróży itp.:

***The walk finishes** at Leicester Sq.* (Spacer kończy się na Leicester Sq.) - tak przebiega trasa.
***The plane leaves** at 6.00 pm.* (Samolot wylatuje o 18.00.) - według rozkładu lotów.

Propozycje i sugestie: shall, let's

Kiedy chcemy coś komuś zaproponować, często używamy czasownika modalnego **shall** lub zwrotu **let's**:

Shall *I lead the way?* - (Czy mam poprowadzić?)
Let's *sit over there.* - (Usiądźmy tam.)

WYRAŻENIE: have got

Have got używamy w znaczeniu **„mieć"**:

What ***have you got*** *planned for me?* (Co dla mnie zaplanowałeś?)

Jest to wyrażenie często używane w języku mówionym i na ogół w formie teraźniejszej:
I've got *the plan.* (Mam plan.)

W pytaniach, przeczeniach itp. **have** zachowuje się jak operator:
Have *you got an appointment?* (Czy masz umówioną wizytę?)
No, I ***haven't****.* (Nie, nie mam.)

ćwiczenia

1. Ułóż wypowiedzi w odpowiedniej kolejności od 1 do 6 tak, by tworzyły sensowny dialog:

...... **a.** *I think I'm lost.*
...... **b.** *Yes, of course.*
...... **c.** *Where do you want to go?*
...... **d.** *Just follow this road and then turn left.*
..*1*.. **e.** *Excuse me, please. Can you help me?*
...... **f.** *To Regent Street.*

2. Uzupełnij luki odpowiednim wyrazem z ramki:

past (x2) go get follow see turn x3 cross be

1. .... *straight down the street,* .... *the church and you'll* .... *it on your left.*
2. .... *the road round until you* .... *to the cinema and then* .... *right.*
3. .... *right at the corner and it's just* .... *the café.*
4. .... *the road at the traffic lights,* .... *left and it'll* .... *on you right opposite the college.*

3. Uzupełnij luki odpowiednią formą zaimka w nawiasach.

1. *Excuse .... , please. (I)*
2. *Let .... see the A to Z. (he)*
3. *What have you got planned for .... ? (we)*
4. *This is for .... (they)*
5. *I'll show .... the way. (she)*

4. Ułóż wyrazy w każdej wypowiedzi w odpowiedniej kolejności.

1. *'s meeting us there Dave.*
   ....
2. *take is the this route best to.*
   ....
3. *do see way we along what the?*
   ....
4. *way do to the Charing Cross Rd. know you?*
   ....
5. *here we cross road the.*
   ....

5. Wstaw wyrazy z ramki tak, by powstały 3 sensowne dialogi.

1. .... *meet Dave.*
2. .... *I lead the way?*
3. *No,* .... *me.*

4. *He* .... *the sandwiches.*
5. *And I* .... *the tea.*
6. .... *eat.*

7. .... *we go for a coffee?*
8. .... *time?*
9. *Yes, we* ....

let
let's (x2)
has got
have
have got (x2)
shall (x2)
we

Street Names

Różnorodność nazw ulic w Londynie często odzwierciedla sposób, w jaki dawniej dana trasa czy miejsce były wykorzystywane np. *Parade/Pde* (miejsce, gdzie odbywają się albo odbywały defilady) lub kształt danego miejsca np. *Crescent/Cres* (półksiężyc/półkole). „Ulica/ul." tłumaczymy *Road/Rd* lub *Street/St*, „aleja" to *Avenue/Av*, „plac" to *Square/Sq*, a *Cul-de-Sac* to „ślepa uliczka". Ale może być także: *Alley/All, Approach/App, Circus/Cir, Close/Clo, Court/Ct,, Drive/Dri, Gardens/Gdns, Gate/Ga, Green/Grn, Grove/Gro, Lane/La, Mews/M, Park/Pk, Place/Pl, Terrace/Ter, Walk/Wlk, Yard/Yd,* a to jeszcze nie wszystkie możliwości.

Klucz do ćwiczeń

1. e, b, a, c, f, d **2.** 1. go, past, see 2. follow, get to, turn 3. turn, past 4. cross, turn, be **3.** 1. me 2. him 3. us 4. them 5. her **4.** 1. Dave's meeting us there. 2. This is the best route to take. 3 What do we see along the way? 4. Do you know the way to Charing Cross Rd.? 5. We cross the road here. **5.** 1. Let's 2. Shall 3. let 4. 's/has got 5. 've/have got 6. Let's 7. Shall 8. Have we got 9. have

8. Bon Appétit!

HARRY: – Hi there, Dave. This is Ania.
DAVE: – Hello Ania. Nice to meet you at last.
ANIA: – Nice to meet you too.
DAVE: – How about a drink at the bar while we're waiting?
HARRY: – Ania? Dave? What would you like?
ANIA: – A Campari and orange for me, please.
DAVE: – The usual.
HARRY: – Excuse me... A Campari and orange – freshly squeezed, a Glenmorangie straight. Uh, make that two, please.
WAITER: – Mr Jones, your table's ready. If you'd like to come this way. The wine waiter will bring your drinks...
DAVE: – Are you enjoying London, Ania?
ANIA: – Yes, I am. Very much. But I haven't had much luck with my grant applications yet.
HARRY: – Dave has a few ideas about that, but let's order first.
DAVE: – Let me do the honours. Ania, do you have any pet hates? I know Harry's. And is it to be red or white?
ANIA: – I'm so hungry I'd eat anything.
WAITER: – Are you ready to order?
DAVE: – For starters, the carpaccio and the mozzarella and tomato salad, split between three, and for the main course...
WAITER: – May I suggest today's special?
DAVE: – Yes, with a vinaigrette salad and a bottle of house red, thanks...

Słownictwo

the wine waiter – kelner zajmujący się winem i alkoholem
hi there – hej
at last – wreszcie
how about... – a może...
the usual – to co zwykle
freshly squeezed orange juice – świeżo wyciskany sok z pomarańczy
a Glenmorangie straight – czystą „Glenmorangie" (whisky)
make that two – niech będzie dwie
your table – państwa stolik
your order – państwa zamówienie
have luck with sth – mieć szczęście
a grant application – podanie o stypendium

do the honours - pełnić honory domu
pet hates - rzeczy, których się nie znosi
...is it to be red or white? - ...pijemy białe czy czerwone?
be hungry - być głodnym
a starter - przystawka
split between three - jeden dla trojga
the main course - danie główne
a bottle of house red - butelka czerwonego firmowego
a meal - posiłek

Tłumaczenie

Smacznego! **H:** Hej Dave. To jest Ania. **D:** Cześć Aniu. Miło cię wreszcie poznać. **A:** Mnie też jest miło. **D:** Może napijemy się przy barze, póki czekamy? **H:** Ania? Dave? Na co macie ochotę? **A:** Poproszę Campari z sokiem pomarańczowym. **D:** To, co zwykle. **H:** Przepraszam... poproszę Campari z sokiem pomarańczowym - świeżo wyciskanym, czystą „Glenmorangie" i... niech będą dwie. **K:** Panie Jones, stolik gotowy. Tędy proszę? Kelner przyniesie państwa drinki... **D:** Czy dobrze się bawisz w Londynie, Aniu? **A:** Tak, bardzo. Ale jeszcze nie miałam szczęścia z podaniami o stypendium. **H:** Dave ma parę pomysłów, jeśli o to chodzi, ale najpierw zamówmy. **D:** Pozwolicie, żebym dla was zamówił? Ania, czy masz jakieś dania, których nie lubisz? Wiem, czego Harry nie znosi. I czy pijemy czerwone czy białe? **A:** Jestem tak głodna, że zjadłabym cokolwiek. **K:** Czy państwo są już gotowi zamówić? **D:** Jako przystawkę poproszę carpaccio i sałatkę z mozzarellą i pomidorami, jedną na troje, a na danie główne... **K:** Czy mógłbym zaproponować danie dnia? **D:** Dobrze, z sałatką vinaigrette i butelką waszego czerwonego wina... **K:** Proszę bardzo. Smacznego! **A:** Smacznego!

Więcej słówek i zwrotów

Do you have a reservation? - Czy mają państwo rezerwację?
We've booked a table for three. - Zamówiliśmy stolik dla trojga.
The name is Jones./Under Jones. - Na nazwisko Jones.
Would you like an aperitif? - A może aperitif?
We haven't decided yet. - Jeszcze nie zdecydowaliśmy.
Certainly, madam/sir. - Oczywiście, proszę pani/-a.
And for you (madam/sir)? - A dla (pana/-i)?
Nothing to start with, thanks. - Bez przystawki, dziękuję.
What would you like with it? - A co do tego podać?
I'll have a side salad. - Poproszę sałatkę.
Would you like coffee/a dessert? - A może kawę/deser?
Was everything all right? - Czy wszystko smakowało?
Could we see/have the menu/bill, please? - Czy można zobaczyć/prosić jadłospis/rachunek?

Jak to działa?

Wyrażenia modalne: would

Czasownik modalny would, podobnie jak will, m.in. wyraża chęć zrobienia czegoś. **Would** używamy często, aby zachować **odpowiedni stopień uprzejmości lub oficjalności** w prośbach, zaproszeniach i ofertach:

Would *you like an aperitif?* (Czy masz ochotę na aperitif?)
What ***would*** *you like?* (Na co masz ochotę?)

PRESENT CONTINUOUS: teraźniejszość

Czasu Present Continuous używamy m.in., by mówić o **czynności** lub **sytuacji tymczasowej w trakcie jej trwania**:

*How about a drink at the bar while we****'re waiting****?*
(Napijmy się przy barze, **póki czekamy**?)
Are you enjoying *London?* (Czy **dobrze się bawisz** w Londynie?)

PRESENT SIMPLE a PRESENT CONTINUOUS

Porównaj:

sytuacja stała/rutynowa	czynność tymczasowa
I ***go*** *to work.*	***I'm going*** *to work.*
(Chodzę do pracy.)	(Idę do pracy - właśnie wychodzę.)
I ***live*** *in Poland.*	***I'm living*** *in England.*
(Mieszkam na stałe w Polsce.)	(Mieszkam chwilowo w Anglii.)

Wyrazy wskazujące: the

Przedimek the jest bardzo często używanym wyrazem, który, podobnie jak zaimki dzierżawcze, **rzadko tłumaczy się na język polski**:

At ***the*** *bar.* (Przy barze.)
And for ***the main course...*** (A na **danie główne**...)

The używamy głównie, by dokładnie na coś lub kogoś wskazać:

The wine waiter *will bring your order.* (Kelner przyniesie zamówienie.) - chodzi o **tego**, który zwykle to robi.

For starters, ***the carpaccio*** *and* ***the mozzarella and tomato salad.*** (Poproszę **carpaccio** i **sałatkę z mozzarellą i pomidorami**.) - tylko **te** przystawki, a nie inne.

Jeśli **the** tłumaczymy, to najczęściej jako **ten/ta/to** lub inny wyraz wskazujący:

The *usual.* (***To*** co zwykle.)

The wymawia się:

- /ðə/ przed dźwiękiem spółgłoski: ***the w****aiter,* ***the b****ar,* ***the u****sual*
- /ði:/ przed dźwiękiem samogłoski: ***the ho****nours,* ***the air****port,* ***the e****-mail*

Apostrof

Apostrofu używamy głównie w skrótach, by zastąpić brakujące litery:

I'm *hungry.* - ***am*** (Jestem głodna.)

While ***we're*** *waiting.* - ***are*** (Póki czekamy.)

They've *left.* - ***have*** (Wyszli.)

I haven't *had much luck.* - ***have not*** (Niewiele miałam szczęścia.)

Let's *order first.* - ***us*** (Zamówmy najpierw jedzenie.)

'd może zastąpić **would** lub **had**:

I'd *eat anything.* - ***would*** (Zjadłabym cokolwiek.)

He'd *been there before.* - ***had*** (Był tam wcześniej.)

's może zastąpić is lub has:

Your ***table's*** *ready.* - ***is*** (Państwa stolik jest gotowy.)

He's *done it.* - ***has*** (Zrobił to.)

's oznacza także przynależność:

May I suggest ***today's*** *special?* (Czy mógłbym zaproponować danie dnia?)

It's ***Ania's*** *bag.* (To jest torba Ani.)

Wyrażenia z operatorem: krótkie odpowiedzi

W krótkich odpowiedziach i komentarzach w zdaniach twierdzących operator zawsze występuje w pełnej formie:

*Here we **are**.* (Proszę bardzo.) - nie: ~~*Here we*~~***'re**.*
*Yes, I **am**.* (Tak, jestem.) - nie: ~~*Yes,*~~ ***I'm**.*

ćwiczenia

1. Ułóż wypowiedzi w sensowne dialogi.

Dialog 1

..... **a.** *Ah yes. This way, please.*

..... **b.** *Would you like an aperitif before you order?*

..... **c.** *Freshly squeezed?*

..*1*.. **d.** *Do you have a reservation?*

..... **e.** *Just some orange juice for the moment, please.*

..... **f.** *That would be lovely.*

..... **g.** *Yes, we've booked a table for 3 under Jones.*

..... **h.** *Thank you.*

Dialog 2

..... **a.** *May I suggest today's special?*

..... **b.** *That sounds good.*

..... **c.** *And to start with?*

..... **d.** *We haven't decided yet.*

..... **e.** *Are you ready to order?*

..... **f.** *I'll take the tomato salad.*

..... **g.** *Nothing for me, thanks.*

2. Ułóż wyrazy w wypowiedziach w odpowiedniej kolejności i uporządkuj od 1 do 7 tak, by tworzyły sensowny dialog.

..... **a.** *else anything?* ....

..... **b.** *meal the wonderful was.* ....

..... **c.** *sir certainly,.* ....

..... **d.** *a like you dessert would?* ....

..... **e.** *we have the could bill, please?* ....

..... **f.** *the and two yes, chocolate coffee dessert for, please.*

....

..*1*.. **g.** *right was all everything?* ....

3. Popraw błędy. Wstaw brakujące apostrofy do dialogów.

1. *A: Whats happening?*
2. *B: Im waiting for Dave.*
3. *A: Hes just texted me. Hes on his way.*

4. *B: Is this Harrys book?*
5. *A: I dont think so.*
6. *B: Its Anias. Look, her names in it.*

7. *A: Id really like a tea.*
8. *B: Lets get some.*
9. *A: I cant. I dont have time.*

4. Przetłumacz zdania, wykorzystując czasownik w nawiasach w odpowiedniej formie.

1. *Idę do pracy. (go)*

....

2. *Filip mieszka na stałe w Polsce. (live)*

....

3. *Czy dobrze się bawisz w Londynie? (enjoy)*

....

4. *Ania na razie mieszka w Londynie. (live)*

....

5. *Basia nie chodzi do pracy. (go)*

....

5. Wstaw przedimek **the**, jeśli jest potrzebny.

1. *......... name is .... Jones.*

2. *Could we see .... menu, please?*

3. *......... waiter will bring .... drinks.*

4. *Let me do .... honours.*

5. *For .... starters, ... carpaccio and for .... main course today's .... special.*

Bon Appétit

Ponieważ Anglicy nie mają w swoim języku zwrotu „smacznego", korzystają z francuskiego *bon appétit*, choć czasami używają wyrażenia *enjoy your meal* („życzymy miłego posiłku"). Historia Anglii jest od wieków związana z Francją i jęz. ang. ma wiele zapożyczonych słów m.in. *café*, *vinaigrette*, *aperitif*, *gateaux* (tort), *en suite*, *bureau de change* (kantor) itp., które ciągle zachowują francuską ortografię i nawet wymowę, np. *ballet* (balet) – nie wymawia się ostatniego dzwięku /t/. Czasem w pisowni, choć nie w wymowie, zachowane są nawet francuskie końcówki gramatyczne np. *fiancé* (narzeczony)/*fiancée* (narzeczona) lub *blond* (blondyn)/*blonde* (blondynka).

Klucz do ćwiczeń

1. 1: d, g, a, h, b, e, c; f; 2: e, d, a, b, c, f, g **2.** g. Was everything all right? b. The meal was wonderful. d. Would you like a dessert? f. Yes, the chocolate dessert and coffee for two, please. a. Anything else? e. Could we have the bill, please? c. Certainly, sir. **3.** 1. What's… 2. I'm… 3. He's… me. He's… 4. …Harry's… 5. …don't… 6. It's Ania's. …name's… 7. I'd… 8. Let's… 9. …can't. I don't… **4.** 1. I'm going to work. 2. Filip lives in Poland. 3. Are you enjoying London? 4. Ania's living in London. 5. Basia doesn't go to work. **5.** 1. The, — 2. the 3. The, the 4. the 5. —, the, the, —

9. C@fé

HARRY: - This is the internet café I usually use when in town.
ANIA: - How much does it cost?
HARRY: - Around £2 an hour. But it depends on the time you come. It costs more at peak times, especially late afternoon, and early evening.
ANIA: - Where do you pay?
HARRY: - These ticket machines. You just 'buy' as much time as you need. The cheapest ticket is 50p.
ANIA: - But what if I don't stay for the full time?
HARRY: - The tickets are coded. You write the code into the computer. If you have time left, you can use the ticket again the next time you come.
ANIA: - And who do you ask if you need any help?
HARRY: - That can be a problem. Usually, whoever's sitting next to you. I can never seem to find any of the staff.
ANIA: - Oh, there actually is a real café here.
HARRY: - Nothing special. You can get a tea, coffee and a bite to eat. Who did you want to get in touch with?
ANIA: - The family mostly. If I write to my brother, he'll pass on the news to my mum and dad. They're probably getting worried by now - I haven't been in touch since I arrived.
HARRY: - My sister's the one I write to.
ANIA: - I get on well with my younger sister, but she never answers her emails. It's Jacek who keeps the family informed.
HARRY: - I'd best leave you to it then...

Słownictwo

use - używać
in town - w mieście
How much does it cost? - Ile to kosztuje?
£2 an hour - 2 funty za godzinę
it depends on... - zależy od...
peak times - godziny szczytu
ticket machines - automaty z biletami
and so on - i tak dalej
write the code into the... - wpisać kod w...
the next time - następnym razem
whoever - kogokolwiek/ktokolwiek
next to you - obok ciebie
anyone of the staff - którykolwiek z pracowników

nothing special - nic nadzwyczajnego
a bite to eat - coś do przegryzienia
be in touch with sb - być w kontakcie z kimś
pass on the news - przekazać wiadomości
by now - do tej pory
since I arrived - odkąd przyjechałam
keep sb informed - informować

Tłumaczenie

Kafejka internetowa. **H:** Do tej kafejki internetowej przeważnie chodzę, gdy jestem w mieście. **A:** Ile kosztuje? **H:** Około 2£ za godzinę. Ale to zależy od pory dnia. Więcej kosztuje w godzinach szczytu, zwłaszcza późnym popołudniem i wczesnym wieczorem. **A:** Gdzie się płaci? **H:** W tych automatach. „Kupujesz" tyle czasu, ile potrzebujesz. Najtańszy bilet to 50 pensów. **A:** A co jeśli nie zostanę do końca? **H:** Bilety są kodowane. Wpisujesz kod do komputera. Jeśli zostanie ci czas, możesz ponownie korzystać z biletu. **A:** A kogo poprosić o pomoc? **H:** Z tym może być problem. Najczęściej tego, kto siedzi obok ciebie. Jakoś nigdy nie mogę znaleźć nikogo z personelu. **A:** O, tu rzeczywiście jest kafejka. **H:** Nic nadzwyczajnego. Można kupić herbatę, kawę i coś do przegryzienia. Z kim chciałaś się skontaktować? **A:** Głównie z rodziną. Jeśli napiszę do brata, przekaże wiadomości mamie i tacie. Prawdopodobnie już się martwią - nie kontaktowałam się z nimi od przyjazdu. **H:** Ja zawsze piszę do siostry. **A:** Dobrze się dogaduję z moją młodszą siostrą, ale ona nigdy nie odpowiada na e-maile. To Jacek informuje rodzinę. **H:** Lepiej cię z tym zostawię...

Więcej słówek i zwrotów

Is there an internet café near here? - Czy jest w pobliżu kafejka internetowa?
When's the cheapest time? - Kiedy jest najtaniej?
What time do you close? - O której zamykacie?
How long are you open? - Jak długo jest otwarte?
Where do I get change? - Gdzie dostanę drobne?
The ticket machine is out of order. - Automat nie działa.
Is there a free computer? - Czy jest wolny komputer?
Could you be so kind as to help me, please? - Czy byłby pan uprzejmy mi pomóc?
Could you explain this, please? - Czy mógłby mi pan to wytłumaczyć?
How do I get started? - Jak mam zacząć?
I seem to be having trouble with... - Niestety chyba mam kłopot z...
Thanks very much for your help. - Dziękuję bardzo za pomoc.

Jak to działa?

Tryb warunkowy: jeśli...

W zdaniach warunkowych na temat przyszłości używamy czasów teraźniejszych, jeśli warunek uważamy za możliwy do spełnienia:

*Who **do you ask** if **you need** any help?* (Kogo spytać, jeśli potrzebuje się pomocy?)
*If you **have** time left, you **can** use the ticket again.* (Jeśli zostanie ci czas, możesz ponownie korzystać z biletu.)
*If I **write** to my brother, he**'ll** pass on the news to my mum.* (Jeśli napiszę do brata, przekaże wiadomość mamie.)

Trybu rozkazującego używamy często w instrukcjach i radach:
*If you have nothing to declare, **go through** the green exit.* (Jeśli nie masz nic do oclenia, przejdź przez wyjście zielone.)

Część zdania rozpoczynającą się od **if** możemy umieścić na początku całego zdania, z przecinkiem, lub na końcu, bez przecinka:
***If you need anything at all**, please call reception.*
*Please call reception **if you need anything at all**.*
(Proszę dzwonić do recepcji, jeśli panu czegokolwiek potrzeba.)

Pytania: What? Where? How? ...

Pytania szczegółowe tworzymy, dodając odpowiedni wyraz lub zwrot na początku zdania, a następnie operator i podmiot:

***Where** do you pay?* (Gdzie się płaci?)
***How much** does it cost?* (Ile to kosztuje?)

What? - Co?
What about...? - A co z...?
What time? - O której?
When? - Kiedy?
How? - Jak?
How far? - Jak daleko?
How much? - Ile (kosztuje)?

Where? - Gdzie?
Who? - Kto?
Which? - Które?
Why? - Dlaczego?

Czasownik: get

Get używamy w wielu różnych sytuacjach:

- w znaczeniu **„dostać”**, **„otrzymać”**, **„zdobyć”** itp.:
  *You can **get** a tea, coffee and a bite to eat.* (Można **kupić** herbatę, kawę i coś przegryźć.)

- z innymi wyrazami, **dla wyrażenia narastania emocji lub potrzeby**:
  *They**'re getting worried** by now.* (Martwią się „coraz bardziej”.)
  *How do I **get started**?* (Jak mam zacząć?)
  *We**'re getting hungry**.* (Zaczynamy być głodni.)
  ***I'm getting tired**.* (Zaczynam się czuć zmęczony.)

- **w wyrażeniach idiomatycznych**:
  *I **get on** well **with** my younger sister.* (Dobrze **się dogaduję** z młodszą siostrą.)
  *Who did you want to **get in touch with**?* (Z kim chciałeś **się skontaktować**?)

Przysłówki

Większość przysłówków tworzymy, dodając końcówkę **-ly** do przymiotników:

*most - most**ly*** (w większości)
*usual - usual**ly*** (zwykle)
*actual - actual**ly*** (w rzeczywistości)
*probable - probab**ly*** (prawdopodobnie)
*sensible - sensib**ly*** (rozsądnie)
*busy - bus**ily*** (pracowicie)
*easy - eas**ily*** (z łatwością)

ćwiczenia

1. Ułóż wypowiedzi w sensowne dialogi.

Dialog 1:

..... **a.** *At night and then in the morning.*

..... **b.** *We're open all night.*

..... **c.** *Thank you very much.*

..1.. **d.** *Excuse me, please. What time do you close?*

..... **e.** *When's the cheapest time?*

Dialog 2:

..... **a.** *I'm sorry but it's out of order.*

..... **b.** *There's a machine, over there.*

..... **c.** *Thanks very much for your help.*

..... **d.** *Ask at the café.*

..1.. **e.** *Where can I get some change?*

Dialog 3:

..... **a.** *What's the problem?*

..... **b.** *I'll be with you in a moment.*

..... **c.** *I seem to be having trouble with my computer.*

..1.. **d.** *Could you help me, please?*

..... **e.** *Yes, I have.*

..... **f.** *Have you written in the code?*

2. Wstaw wyrazy z ramki do odpowiedniego pytania.

1. .... *should I wear?*
2. .... *is it to the hotel?*
3. .... *'s the restaurant?*
4. .... *do I get there?*
5. .... *hotel?*
6. .... *are you leaving so soon?*
7. .... *Harry?*
8. .... *is it?*

How?
How far?
How much?
What?
What about...?
Where?
Which?
Why?

3. Dopasuj tłumaczenia a-h do podkreślonych zwrotów 1-8.

1. *My mother gets worried if I don't call.*
2. *Let's get a bite to eat.*
3. *How do I get to the nearest tube?*
4. *I got an email from Ania.*
5. *Did you get in touch with Harry?*
6. *The meeting got started an hour ago.*
7. *I got a present from my sister.*
8. *I'm getting a present for my brother.*

a. *otrzymać e-maila*
b. *dostać prezent*
c. *zacząć się martwić*
d. *dostać się do*
e. *przegryźć coś*
f. *kupić prezent*
g. *skontaktować się*
h. *rozpocząć się*

4. Dopasuj fragmenty a-e do 1-5, aby utworzyć sensowne wypowiedzi.

1. *What if*

2. *Please call reception if*

3. *If you have time left,*

4. *My brother'll pass on the news*

5. *If you have nothing to declare,*

a. *you can use the ticket again.*

b. *go through the green exit.*

c. *you need anything at all.*

d. *you need help?*

e. *if I write to him.*

5. Wstaw czasowniki w nawiasach w odpowiedniej formie.

1. *If you .... any trouble, ... one of the staff. (have, ask)*
2. *What if the machine .... out of order? (be)*
3. *If she .... time, she .... and .... me. (have, come, visit)*
4. *Could you .... some cheese if you .... out? (get, go)*
5. *If you can, ... me before 3.00. (call)*

6. Utwórz przysłówki od podanych przmiotników.

proper	*easy* ....
special	*great* ....
local	*kind* ....
first	*busy* ....

Pounds Sterling

(funt szterling) Anglicy z oporami przyjmują system dziesiętny. Nazwa waluty pozostała taka sama, ale sysytem dziesiętny w obliczeniach związanych z pieniędzmi został w pełni przyjęty. Od 1971 r. funt *(pound)* ma tylko sto pensów *(penny/pennies)*, na początku zwane new pennies (nowe pensy). Przedtem funt dzielił się na 20 szylingów *(shillings)*, a 1 szyling na 12 pensów i dzieci musiały się uczyć *the 12 times table* (tabliczkę mnożenia x 12). Banknoty, które można teraz normalnie znaleźć w obiegu, to £50, £20, £10 i £5, a monety £2, £1, 50p, 20p, 10p, 5p, 2p i 1p.

Klucz do ćwiczeń

1. 1:d, b, e, a, c; 2:e, b, a, d, c; 3: d, a, c, f, e, b **2.** 1. What 2. How far 3. Where 4. How 5. Which 6. Why 7. What about 8. How much **3.** 1c 2e 3d 4a 5g 6h 7b 8f **4.** 1d 2c 3a 4e 5b **5.** 1. have, ask 2. 's/is 3. has, comes, visits 4. get, go 5. call **6.** properly, easily, specially, greatly, locally, kindly, firstly, busily

10. A Shopping Spree

HARRY: – Have you made a shopping list?
ANIA: – More or less. The most important thing is shoes – a pair of all-purpose shoes that'll match everything.
HARRY: – What else? I'm trying to work out where best to go – the West End or a local shopping centre might be better.
ANIA: – Where's it cheaper?
HARRY: – There won't be much difference. Anyway, the summer sales have started. I'm thinking of convenience.
ANIA: – Don't you like shopping?
HARRY: – Hmm... the West End it is then. I can always disappear for a while in the bookshops around Charing Cross Rd.
ANIA: – I simply love bookshops, and stationer's.
HARRY: – Good. We can do Oxford St., a bit of window shopping in Regent St. and then hit the bookshops at the end...

ANIA: – I quite like those.
HARRY: – The ones next to them look nice too.
ANIA: – Oh, look. They have them in black, a nice shade of brown, and in suede. This pair is really lovely.
HARRY: – Let's see how they look. Why don't you try them on?
ANIA: – Ooo, and what about these? What a beautiful colour!
HARRY: – Sensible, all-purpose – remember?
SHOP ASSISTANT: – Can I help you, madam? Sir?
HARRY: – Size five, please, black, in these two styles...
ANIA: – ...and that maroon pair. I might buy something to match.
SHOP ASSISTANT: – I can only do a five and a half in black. There's a five in brown...

Słownictwo

shop assistant – sprzedawca
make a shopping list – sporządzić listę zakupów
more or less – mniej więcej
a pair of all-purpose shoes – parę butów do wszystkiego
match – pasować (kolor/wzór)
try to work sth out – zastanawiać się
not much difference – niewielka różnica
the summer sales – letnie wyprzedaże
convenience – wygoda

the West End it is then - niech będzie West End
disappear for a while - zniknąć na chwilę
stationer's - sklep papierniczy
do Oxford St. - przejść ulicę Oxford
do/go window shopping - oglądać witryny
then hit the... - potem pójść do...
look nice - ładnie wyglądać
they have them in black - mają je w kolorze czarnym
a nice shade of brown - ładny odcień brązowego
suede - zamsz
try sth on - przymierzyć coś
What a beautiful colour! - Co za piękny kolor!
sensible,... - remember? - praktyczne,... - pamiętasz?
size five - w rozmiarze 5
I can only do ... - mamy tylko...
brown/maroon - brązowy/bordowy

Tłumaczenie

Zakupowe szaleństwo. **H:** Zapisałaś wszystko, czego potrzebujesz? **A:** Mniej więcej. Najważniejsze to buty - takie, które będą pasować do wszystkiego. **H:** Co jeszcze? Zastanawiam się, gdzie najlepiej pójść - na West End czy może do centrum handlowego. **A:** Gdzie będzie taniej? **H:** Wielkiej różnicy nie będzie. Zresztą rozpoczęły się letnie wyprzedaże. Zastanawiam się, gdzie będzie wygodniej. **A:** Czyżbyś nie lubił chodzić na zakupy? **H:** Hmm... to niech będzie West End. Zawsze mogę zniknąć na chwilę w księgarniach przy ulicy Charing Cross. **A:** Uwielbiam księgarnie i sklepy papiernicze. **H:** Dobrze. Możemy zaliczyć ulicę Oxford, obejrzeć witryny przy Regent, a potem wpaść do księgarń na sam koniec... ■ **A:** Tamte mi się dość podobają. **H:** Te obok też ładnie wyglądają. **A:** O, patrz. Mają je w czarnym, ładnym odcieniu brązowego, i zamszowe. Ta para jest naprawdę śliczna. **H:** Zobaczmy, jak będziesz w nich wyglądać. Może byś je przymierzyła? **A:** O, a te? Co za piękny kolor! **H:** Pamiętasz, miały być praktyczne, pasujące do wszystkiego. **S:** Czy mogę w czymś pomóc? **H:** Poproszę rozmiar 5, w czarnym, w tych 2 fasonach... **A:** ...i tamtą bordową parę. Może kupię coś, co pasowałoby do nich. **S:** Mamy tylko $5^1/_2$ z czarnych. Jest 5 z brązowych...

Więcej słówek i zwrotów

Are you being served? - Czy ktoś panią obsługuje?
I'm just looking, thank you. - Po prostu oglądam.
Have you got this in red/a size twelve? - Czy jest w kolorze czerwonym/rozmiarze 12?
The changing rooms are over there. - Tam są przebieralnie.
I'll take it/this one/the blue. - Biorę tę/niebieską.
I think I'll leave it for now. - Na razie dziękuję.
The receipt's in the bag. - Paragon jest w reklamówce.

It's a real bargain. - To jest prawdziwa okazja.
reasonable/a fair price - w rozsądnej cenie /dobrej cenie
two for the price of one - 2 w cenie jednego
damaged/torn/broken - uszkodzone/podarte/zepsute
take sth back/get a refund - zwrócić coś/dostać zwrot gotówki
market/chemist's - rynek/apteka

Jak to działa?

Wyrazy wskazujące: this, that, the one

Nie znając nazw różnych rzeczy, możemy sobie poradzić, używając słów wskazujących, takich jak:

this (ten/ta/to) - ***these*** (te, ci)
that (tamten/tamta/tamto) - ***those*** (tamte/tamci)
the one (ten/ta/to) - ***the ones*** (te, ci)

This *is really lovely.* (**Ta** - rzecz - jest naprawdę śliczna.)
What about ***these?*** (Oh, a **te** - buty?)
I quite like ***those.*** (**Tamte** - buty - dość mi się podobają.)
The ones *next to them look nice too.* (**Te** - buty - obok też ładnie wyglądają.)

Wyrażenia modalne: might

Czasownika modalnego **might** używamy, by stwierdzić, że coś jest możliwe, choć nie mamy co do tego pewności:

A local shopping centre ***might*** *be better.* (Centrum handlowe może być lepsze.)
I ***might*** *buy something to match.* (Może kupię coś, co pasowałoby do nich.)

Propozycje i sugestie: Why don't...

Why don't *you try them on?* (Może byś je przymierzyła?)
Don't *you like shopping?* (Czyżbyś nie lubił chodzić na zakupy?)

Stopniowanie przymiotników

*Where's it **cheaper**?* (Gdzie jest taniej?)
***The most important** thing is shoes.* (Najważniejsza rzecz to buty.)

Aby utworzyć stopień wyższy i najwyższy:
- do krótkich przymiotników dodajemy **-er** i **the -est**:
  cheap (tanie), *cheaper* (tańsze), *the cheapest* (najtańsze)
- do dłuższych przymiotników dodajemy **more** i **the most**:
  important (ważny), *more important, the most important*

Niektóre często używane przymiotniki stopniujemy nieregularnie:
good (dobre), *better, the best*
bad (niedobre), *worse, the worst*
little (małe), *less, the least*
many (wiele), *more, the most*

ćwiczenia

1. Zdecyduj, czy poniższe wypowiedzi pochodzą od klienta (customer), czy sprzedawcy (shop assistant). Zaznacz odpowiednio C lub SA.

..... **1.** *I'm just looking, thank you.*
..... **2.** *Have you got this in size twelve?*
..... **3.** *Are you being served?*
..... **4.** *I'll take it.*
..... **5.** *The changing rooms are over there.*
..... **6.** *I think I'll leave it for now.*
..... **7.** *The receipt's in the bag.*

2. Ułóż wypowiedzi w sensowne dialogi.

Dialog: 1
..... **a.** *Yes, we do. In blue, red and green.*
..... **b.** *May I try these on?*
..... **c.** *I'll take them.*
..*1*.. **d.** *Excuse me. Have you got this in blue?*
..... **e.** *Yes, of course. The changing rooms are over there.*

Dialog: 2

..... **a.** *Take it back and get a refund.*
..... **b.** *Only £3.00. I got 2 for the price of one.*
..... **c.** *That was a real bargain.*
..1.. **d.** *How much did you pay for it?*
..... **e.** *Oh! This one's damaged.*

3. Wstaw wyrażenia z ramki do dialogów.

this, these, that, those, the one, the ones

Dialog: 1

A: .... *shoes here look nice.*

B: .... *over there are a lovely colour.*

A: .... *are nice too.*

Dialog: 2

B: *I'd like some of* .... *here, some of* .... *over there, one of* .... *and 2 tomatoes, please.*

A: *Did you want* .... *cheese?*

B: *No,* .... *over there.*

4. Wstaw wyrażenia z ramki do wypowiedzi tak, by powstał sensowny dialog.

Let's, Why don't, Don't, might

1. .... *see how these look.* .... *you try them on?*

2. .... *hope they're not too expensive.*

3. .... *you buy the black pair?*

4. *I* .... *buy these other ones, they're cheaper.*

5. .... *you know which to buy?*

5. Przetłumacz wyrazy w nawiasach i uzupełnij luki.

1. *This is .... day I've ever had.* (najgorszy)

2. *I've seen .... days.* (lepsze)

3. *This shade of brown is much ....* (ładniejsze)

4. *These are .... shoes I've seen so far.* (najlepsze)

5. *These are ....* (tańsze)

6. *And these are ....* (droższe)

7. *The ones I like .... are ....* (najbardziej, najdroższe)

8. *I like these ones a little .... and these ....* (mniej, najmniej)

Speciality Shops

W Londynie jest wiele sklepów specjalistycznych m.in. *Anything Left Handed* (Wszystko dla leworęcznych) na ulicy 57 Brewer St. W1 – w sprzedaży wszelkie urządzenia od *scissors* (nożyczek) do *corkscrews* (korkociągów). Jest także bardzo wiele ciekawych *markets* (rynków i bazarów) nie tylko z żywnością. Światowej sławy sklepy jak *Harrods* też warto odwiedzić – ich motto „Omnia, Omnibus ubique" (everything, for everyone, everywhere – wszystko dla wszystkich wszędzie) faktycznie się sprawdza. Luksusowe delikatesy *Fortnum and Mason* mają patronat rodziny królewskiej.

Klucz do ćwiczeń

1. 1C 2C 3SA 4C 5SA 6C 7SA **2.** 1c, a, b, e, d; 2d, b, c, e, a **3.** 1. These, The ones/Those, Those/These; 2. this/these, that/those, those/these, this/that, the one **4.** 1. Let's, Why don't 2. Let's 3. Why don't 4. might 5. Don't **5.** 1. the worst 2. better 3. nicer 4. the best 5. cheaper 6. more expensive 7. the most, the most expensive 8. less, the least

11. Curtain Call

DAVE: - The performance starts at 8.00. We've still got time for a drink at the bar.
HARRY: - So, how many times have you seen The "Mousetrap"?
DAVE: - This'll be the fifth.
ANIA: - Oh, and it's because of me.
DAVE: - No, not at all. I've seen it with a different cast every time. My choice. Anyway, I managed to get half-price tickets.
HARRY: - Dave's a theatre buff. Anything he likes, he sees at least twice, if not three times and almost always for half-price.
DAVE: - Harry, on the other hand's a film buff. We complement each other. I take pleasure in educating him in the higher forms of art and he does me in the lower ones.
ANIA: - My round. What's it to be this time?
DAVE: - Now Harry, are you going to let the lady pay?
HARRY: - Yes, she made me promise. In return, she's agreed to put up with me for another day on the town. Ania's into art.
ANIA: - I'm ordering the usual.
DAVE: - Wonderful. Where are you going to take our Harry?
ANIA: - I especially want to go to the Courtauld Gallery - the Impressionists, and I'm curious about the Tate Modern.
HARRY: - Tate Modern is really worth seeing but so is Tate Britain.
DAVE: - I prefer the National Gallery. It's still the best in my opinion. A lot to take in all at once, so you keep going back for more. Ah, there's the first bell. Drink up.
HARRY: - A little less than five minutes to curtain up.

Słownictwo

the performance - przedstawienie
because of me - przeze mnie
no, not at all - wcale nie
with a different cast - z inną obsadą
my choice - mój własny wybór
I managed to get - udało mi się zdobyć
half-price tickets - bilety za pół ceny
theatre/film buff - amator teatru/kina
almost always - prawie zawsze

on the other hand - natomiast/ z drugiej strony
complement each other - uzupełniać się
take pleasure in... - czerpać przyjemność z...
higher/lower forms of art - wyższe/niższe formy sztuki
my round - moja kolej
make sb promise - wymusić na kimś obietnicę
in return - w zamian
agree to put up with - zgodzić się/wytrzymywać z
on the town - na mieście
be into sth - interesować się czymś
be curious about sth - być ciekawym czegoś
be worth seeing - warte obejrzenia
a lot to take in - dużo do ogarnięcia
still the best - ciągle najlepszy
keep going back - ciągle powracać
the first bell - pierwszy dzwonek
drink up - pić do dna
curtain up - podniesienie kurtyny

Tłumaczenie

Kurtyna. **D**: Przedstawienie rozpoczyna się o 20.00. Mamy jeszcze czas na drinka przy barze. **H:** No, to ile razy widziałeś „Mousetrap"? D: To będzie piąty. **A**: Oj, i to przeze mnie. **D**: Wcale nie. Za każdym razem oglądałem z inną obsadą. Własny wybór. A poza tym, udało mi się kupić bilety za pół ceny. **H**: Dave jest amatorem teatru. Jak mu się coś podoba, ogląda to co najmniej dwa razy albo trzy, i zawsze za pół ceny. **D**: Harry natomiast jest amatorem kina. Uzupełniamy się. Ja czerpię przyjemność w nauczaniu go o wyższych formach sztuki, a on mnie o niższych. **A**: Teraz moja kolej. Co pijecie tym razem? **D**: Harry, masz zamiar pozwolić, żeby dama płaciła? **H**: Tak, zmusiła mnie. W zamian zgodziła się jeszcze jeden dzień ze mną wytrzymać na mieście. Ania jest amatorem sztuki. **A**: Zamówię to, co zwykle. **D**: Cudownie. Gdzie zamierzasz wziąć naszego Harry'ego? **A**: Chciałam zwłaszcza pójść do galerii Courtauld - na impresjonistów. I ciekawi mnie Tate Modern. **H**: Tate Modern naprawdę warto obejrzeć, ale także Tate Britain. **D**: Ja wolę Galerię Narodową. Jest ciągle najlepsza, moim zdaniem. Dużo do obejrzenia za jednym razem, dlatego ciągle się do niej powraca. Aaa, pierwszy dzwonek. Kończmy drinki. **H**: Mamy niecałe 5 minut do podniesienia kurtyny.

Więcej słówek i zwrotów

I'd rather go to the matinee. - Wolałabym pójść na popołudniowe przedstawienie.
I'd prefer to go tomorrow. - Wolałbym pójść jutro.
I'm always ready for a good film/play. - Zawsze jestem gotowa na dobry film/sztukę.
love/adore ballet - uwielbiać/ubóstwiać balet
like going to the cinema - lubić chodzić do kina
enjoy rock concerts - lubić koncerty rockowe
jazz/music festival - festiwal jazzu/muzyki
like classical music - lubić muzykę poważną
learn to appreciate opera - nauczyć się doceniać operę
hate/detest television - nie cierpieć/nienawidzić telewizji
I can't stand soap operas. - Nie znoszę telenowel.
I can't say I like... - Nie mogę powiedzieć, żebym lubiła...

Jak to działa?

Przyszłość:

Są różne sposoby mówienia o przyszłości, zależnie od rodzaju sytuacji, którą opisujemy:

- **Present Simple:**
  The performance ***starts*** *at 8.00.* (Przedstawienie rozpoczyna się o 20.00.)
- **Present Continuous:**
  I'm ordering *the usual.* (Zamówię to, co zwykle.)
- **will:**
  *This****'ll be*** *the fifth time.* (To będzie piąty raz.)
- **be going to:**
  Where ***are*** *you* ***going to take*** *our Harry?* (Gdzie zamierzasz zabrać Harry'ego?)
  Are *you* ***going to let*** *the lady pay?* (Masz zamiar pozwolić, żeby dama płaciła?)
- **be to:**
  What's it ***to be*** *this time?* (Co pijecie tym razem?)
  The Queen ***is to visit*** *Poland.* (Królowa odwiedzi Polskę.)

Czasownik: take

Take to kolejny często używany czasownik, którego **znaczenie zmienia się w zależności od kontekstu**:

*Where are you going to **take** our Harry?* (Gdzie zamierzasz **zabrać** Harry'ego?)
*I **take pleasure** in educating him.* (Nauczanie go **sprawia** mi **przyjemność**.)
*It's a lot to **take in** all at once.* (To dużo do **ogarnięcia** za jednym razem.)

Określenia ilości: once, twice, time/times

*How many **times** have you seen "The Mousetrap"?* (Ile **razy** oglądałeś „Mousetrap"?)
*I've seen it with a different cast **every time**.* (**Za każdym razem** oglądałem z inną obsadą.)
*It's a lot to take in all **at once**.* (Dużo do obejrzenia **za jednym razem**.)
*Anything he likes, he sees at least **twice**,...* (Cokolwiek lubi, ogląda co najmniej **2 razy**,...)
*...if not **three times**.* (jeśli nie **3 razy**.)

ćwiczenia

1. Dopasuj tłumaczenia a-e do podkreślonych zwrotów 1-5.

1. *Dave adores the theatre.*
2. *Harry hates opera.*
3. *Ania's into art.*
4. *I can't say I like ballet very much.*
5. *I can't stand soap operas*

a. *być amatorem*
b. *nie móc powiedzieć, że*
c. *ubóstwiać*
d. *nie znosić*
e. *nie cierpieć*

2. Ułóż wypowiedzi w sensowne dialogi.

Dialog 1:

..1.. **a.** *Let's go to the theatre.*
..... **b.** *I'd rather go to the matinee. It's cheaper.*
..... **c.** *Evening or matinee performance?*
..... **d.** *I'd prefer the evening.*
..... **e.** *I'm always ready for a good play.*

Dialog 2:

..... **a.** *I prefer the theatre.*
..... **b.** *I can't say I like opera. But I don't mind ballet.*
..1.. **c.** *You're an opera buff, aren't you?*
..... **d.** *You have to learn to appreciate opera.*
..... **e.** *Yes, I love opera and ballet.*

3. Uzupełnij luki w dialogu, wykorzystując wyrazy w nawiasach w odpowiedniej formie.

1. *When .... ? (he, go)*

2. *The train .... at 6.00. (leave)*

3. *How long .... for? (he, go)*

4. *I .... it .... 5 days. (think, to be)*

5. *What .... when he .... there? (he/do, get)*

6. *He .... to a jazz festival. (go)*

7. *He .... it. He .... jazz. (enjoy, love)*

4. Uzupełnij luki w dialogu odpowiednim wyrazem z ramki.

time, times, once, twice

A: *Every .... I phone him he's at the cinema.*

B: *How many .... has he seen that film?*

A: *............., maybe 3 ....*

B: *I've seen it only ....*

5. Dopasuj tłumaczenia a-e do podkreślonych zwrotów 1-5.

1. *Dave's taking us to the theatre.*
2. *It'll take about 15-20 mins.*
3. *I'm taking him to see the boss.*
4. *It was too much to take in.*
5. *I take pleasure in drinking good wine.*

a. *zaprowadzić*
b. *zabierać*
c. *sprawiać przyjemność*
d. *zajmować*
e. *ogarnąć*

„The Mousetrap"

Repertuar wielu teatrów w centrum Londynu bywa ograniczony do jednej sztuki, którą wystawia się tak długo, dopóki publiczność wypełnia teatr. Sztuka „The Mousetrap" („Pułapka na myszy") autorstwa Agathy Christie pobiła wszelkie rekordy. Miała premierę w listopadzie 1952 r. w the Ambassadors Theatre, przeniesiono ją do St. Mart in's Theatre w 1974 r. i wystawia się ją do dziś bez żadnej przerwy. Od czasu do czasu oczywiście, jest zmiana obsady. Londyn ma bardzo bogaty wybór teatrów, kin i muzyki. Warto sięgnąć po magazyn „Time Out" i zobaczyć, co dzieje się w np. the fringe theatre (teatrze offowym). Często w pubach, na różnych krańcach miasta, można trafić na ciekawe przedstawienia i koncerty.

Klucz do ćwiczeń

1. 1c 2e/d 3a 4b 5e/d **2.** 1b, e, c, d, a; 2c, e, b, d, a **3.** 1. 's he going 2. leaves 3. 's he going 4. think, 's to be 5.'s he going to do, gets 6. 's going 7. 'll enjoy, loves **4.** 1. time 2. times 3. Twice, times 4. once **5.** 1b 2d 3a 4e 5c

12. Sprawdź się!

123 **1.** **Rozumienie ze słuchu** Po wysłuchaniu dialogów zdecyduj, które zdania są prawdziwe (True – T), a które fałszywe (False – F).

Dialog 1

1. *The passer-by is lost.* ☐
2. *He wants to go to Oxford Street.* ☐
3. *Harry tells him to turn right.* ☐

Dialog 2

1. *Dave doesn't have a reservation.* ☐
2. *Dave booked a table for 3.* ☐
3. *The waiter asks if they want a drink.* ☐

Dialog 3

1. *Ania wants to get some coins.* ☐
2. *Ania asks for help.* ☐
3. *The machine doesn't work.* ☐

Dialog 4

1. *They don't have them in green.* ☐
2. *Ania doesn't want to try them on.* ☐
3. *There are no changing rooms.* ☐

Dialog 5

1. *They're going to the cinema.* ☐
2. *Harry wants to go in the afternoon.* ☐
3. *The afternoon performance is cheaper.* ☐

2. **Test** Wybierz właściwą odpowiedź.

1. *.............. we got time?*
a. Has *b. Do*
c. Are *d. Have*

2. *They really .... well together, don't they?*
a. get in *b. get on*
c. get with *d. get*

3. *Give me that bag - .... blue one.*
a. the *b. a* *c. –* *d. this*

4. *We're here for a week. We .... at the Marriot.*
a. staying *b. 're staying*
c. 've stayed *d. stay*

5. *It's .... one they have.*
a. most cheap *b. cheaper*
c. the cheapest *d. cheap*

6. *Are you enjoying London? Yes, ...*
a. we are *b. we do*
c. we're *d. we have*

7. *He's seen the play many ....*
__a.__ time __b.__ times __c.__ once __d.__ twice

8. *............. go or we'll be late.*
__a.__ Shall *__b.__ Can*
__c.__ Let's *__d.__ Why don't*

9. *Which pub is it? .... on the corner.*
__a.__ The one *__b.__ This*
__c.__ The *__d.__ One*

10. *The train .... at 6.00.*
a. *'s leaving* **b.** *will leave*
c. *leaves* **d.** *'s going to leave*

11. *.......... far is it to the station?*
__a.__ When *__b.__ What*
__c.__ How *__d.__ How much*

12. *I don't know ...., do you?*
__a.__ them *__b.__ they*
__c.__ there *__d.__ their*

13. *What .... you like for dessert?*
__a.__ could *__b.__ will*
__c.__ might *__d.__ would*

14. *If you need any help, ... someone.*
__a.__ asks *__b.__ asking*
__c.__ you ask *__d.__ ask*

15. *We're late. Harry's .... getting worried.*
__a.__ probablly *__b.__ probablely*
__c.__ probably *__d.__ probable*

3. Krzyżówka

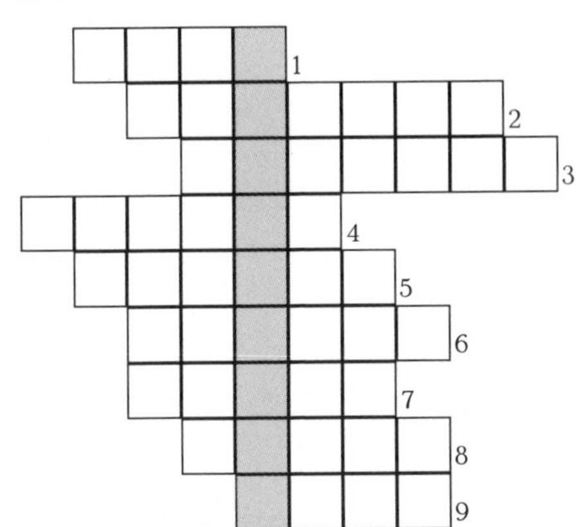

1. *Oglądamy w kinie.*
2. *Przyniosłem, przywiozłem, przyprowadziłem.*
3. *Na końcu przedstawienia.*
4. *Żółte w kanapce.*
5. *Bardzo nie lubić.*
6. *Wolałbym: I'd ....*
7. *We're going on a shopping ....*
8. *Smak.*
9. *Wybieraj: Take your ....*

Klucz do ćwiczeń

1. Rozumienie ze słuchu. dialog **1** T, F, F; dialog **2** F, F, T; dialog **3** T, T, T; dialog **4** F, F, F; dialog **5** F, F, T. **2. Test.** 1–d 2–b 3–a 4–b 5–c 6–a 7–b 8–c 9–a 10–c 11–c 12–a 13–d 14–d 15–c **3. Krzyżówka.** hasło: Mousetrap (film, brought, curtain,cheese, detest, rather, spree, taste, pick)

13. Time to Get Up

DAVE: - Harry? Is that you?
HARRY: - Uhuh...
DAVE: - It's gone 12.00. What time did you get to bed last night?
HARRY: - This morning, you mean...
DAVE: - Regular hours are much healthier for you...
HARRY: - Huh... Nothing to do with health. You have to get up in the morning. You don't have any choice in the matter.
DAVE: - That's as maybe...
HARRY: - I was watching videos...
DAVE: - You're always watching videos...
HARRY: - And you're always in bed by 10.00, I suppose?
DAVE: - Maybe not, but I'm usually up by 7.30 - like most normal human beings who have to work for a living.
HARRY: - Have you ever been normal?
DAVE: - Not by your standards, I guess...
HARRY: - Well, I'm not a working man at the moment, but I'm generally up by 1.00. Sometimes it's earlier, like today...
DAVE: - Okay Harry, I rarely have it as quiet as this at work. If you want to come in to discuss your CV, now's the time. What time can you make it?
HARRY: - Thanks Dave. I'll be there by 1.00. 1.30 at the latest. I just need a few minutes to get myself together, have a cup of coffee, feed the cat...
DAVE: - Since when have you had a cat?
HARRY: - Since Ania bought me a little stuffed Garfield...

Słownictwo

get up - wstać/wstawać
it's gone 12.00 - już po 12.00
get to bed - kłaść się do łóżka
you mean - to znaczy
much healthier for you - o wiele zdrowsze dla ciebie
nothing to do with... - nie ma nic wspólnego z...
...in the matter - ...w tej sprawie
that's as maybe - może i tak
be in bed by... - być w łóżku przed...
maybe not - może i nie
be up by... - wstawać przed...
human being - istota ludzka/człowiek

work for a living - zarabiać na życie
not by your standards - nie wg twoich standardów
a working man - zatrudniony
at the moment - obecnie
as quiet as this - aż tak spokojnie jak teraz
come in to discuss - przyjść porozmawiać
now's the time - teraz jest na to czas
What time can you make it? - Na którą się wyrobisz?
get myself together - pozbierać się
since when/since Ania - od kiedy/odkąd Ania

Tłumaczenie

Pora wstawać. **D:** Harry? Czy to ty? **H:** Co... **D:** Już po 12.00. O której poszedłeś wczoraj spać? **H:** Raczej dziś rano... **D:** Regularne godziny są dużo zdrowsze... **H:** Co? To nie ma nic wspólnego ze zdrowiem. Ty musisz wstawać rano. Nie masz wyboru. **D:** Może i tak... **H:** Oglądałem filmy na wideo... **D:** Zawsze oglądasz filmy na wideo... **H:** A ty naturalnie zawsze kładziesz się przed 22.00? **D:** Może i nie, ale zwykle jestem na nogach przed 7.30 - jak większość normalnych ludzi, którzy zarabiają na życie. **H:** Czyś ty kiedykolwiek był normalny? **D:** Chyba nie według twoich standardów... **H:** Nie jestem w tej chwili nigdzie na etacie, więc zazwyczaj wstaję około 13.00. Czasami wcześniej, jak dzisiaj... **D:** No dobrze Harry, rzadko bywa aż tak spokojnie w pracy jak teraz. Jeśli chcesz przyjść porozmawiać o swoim CV, teraz jest na to czas. O której możesz przyjść? **H:** Dzięki, Dave. Będę o 13.00, 13.30 najpóźniej. Potrzebuję tylko paru minut, by się pozbierać, napić się kawy, nakarmić kota... **D:** Od kiedy ty masz kota? **H:** Odkąd Ania mi kupiła małego, wypchanego Garfielda...

Więcej słówek i zwrotów

The line/phone's engaged. - Linia/Telefon jest zajęty.
I can't get through. - Nie mogę się połączyć.
Sorry, wrong number.- Przepraszam, pomyłka.
I'm on the phone. - Rozmawiam przez telefon.
take/leave a message - przekazać/zostawić wiadomość
Dial the number again. - Wybierz ponownie numer.
I'll phone/ring/call back tomorrow. - Oddzwonię jutro.
He hung up. - Rozłączył się./Odłożył słuchawkę.
Speaking./We got cut off. - Przy telefonie./Rozłączyło nas.
Extension three-nine-six, please. - Poproszę wewnętrzny 396.
Please hold./Hold the line, please. - Proszę poczekać
I'm putting you through. - Już łączę.
The phone's ringing. - Telefon dzwoni.

Jak to działa?

Szyk wyrazów w zdaniu: always, often itd.

Przysłówki opisujące częstotliwość wydarzeń zwykle umieszczamy:

- po pierwszym operatorze:

  *You're **always** watching videos.* (**Zawsze** oglądasz filmy na wideo.)
  *Have you **ever** been normal?* (Czyś ty **kiedykolwiek** był normalny?)
  *I don't **often** see Harry.* (**Nieczęsto** widuję Harry'ego.)
  *You couldn't **often** have had the chance to talk to him.* (Nie mogłeś **często** mieć możliwości porozmawiania z nim.)

- po czasowniku be:

  *You're **always** in bed by 10.00.* (**Zawsze** kładziesz się przed 22.00.)
  *I'm **usually** up by 7.30.* (**Zwykle** wstaję przed 7.30.)

- przed głównym czasownikiem, jeśli w zdaniu nie ma operatora:

  *I **rarely** have it as quiet as this at work.* (**Rzadko** bywa aż tak spokojnie w pracy jak teraz.)

Przysłówek sometimes bywa także używany na początku zdania:

Sometimes it's earlier, like today. (**Czasami** wcześniej, jak dzisiaj.)

Przyimki: by, like

Przyimek like na ogół tłumaczymy **„jak"**:

*I'm up by 7.30 **like** most normal human beings.* (Wstaję przed 7.30, **jak** większość normalnych ludzi.)
*Sometimes it's earlier **like** today.* (Czasami wcześniej, **jak** dzisiaj.)

Przyimek by możemy tłumaczyć na różne sposoby:

*She sat **by** me.* (Siedziała **koło** mnie.)
*He drove **by** my house.* (Przejechał **obok** mego domu.)
*He slept **by** the fire.* (Spał **przy** kominku.)

*Not **by** your standards.* (Nie **według** twoich standardów.)
*I'm usually up **by 7.30**.* (Zwykle wstaje **nie później niż o** 7.30.)
*I confirmed **by email**.* (Potwierdziłem **e-mailem**.)
*It's made **by hand**.* (Jest zrobione **ręcznie**.)
*Under an hour **by tube**.* (Mniej niż godzinę **metrem**.)
*I'll send it **by post**.* (Wyślę **pocztą**.)
*He's a builder/teacher **by trade/profession**.* (**Z zawodu** jest budowniczym/nauczycielem.)

Wyrażenia: I suppose, I guess, you mean itp.

W potocznej rozmowie w jęz. ang. często używamy krótkich zwrotów **na końcu zdania**:

*Not by your standards, **I guess**.* (**Chyba** nie według twoich standardów.)
*This morning, **you mean**.* (**Raczej** dziś rano.)

Tego typu zwroty zwykle wymagają komentarza od współrozmówcy:

*Harry: And you're always in bed by 10.00, **I suppose**?* (A ty **naturalnie** zawsze kładziesz się przed 22.00?)
*Dave: **Maybe not, but...*** (**Może i nie, ale...**)

Czas: zegar

Na pytanie:

What time is it, please? /Have you got the time, please? (Która jest godzina?)

Możemy odpowiedzieć:

***It's** exactly/about/nearly/gone **twelve o'clock**.* (**Jest** dokładnie/około/prawie/minęła **dwunasta**.)
***It's five**/ten/twenty/twenty-five **past twelve**.* (**Jest pięć** /dziesięć/dwadzieścia/dwadzieścia pięć **po dwunastej**.)
***It's** twenty-five/twenty/ten/five **to twelve**.* (**Jest za** dwadzieścia pięć/dwadzieścia/dziesięć/pięć **dwunasta**.)

Porównaj:

*It's **half** **past** twelve.* (Jest **wpół** **do** dwunastej.)
*It's **a quarter** **to/past**.* (Jest **za kwadrans** **przed/po**.)
*It's **twelve thirty/forty-five**.* (Jest **dwunasta trzydzieści/czterdzieści pieć**.)
*It's twenty-seven **minutes** **past** ten.* (Jest *27* **minut** **po** 10.)
*It's twelve **minutes** **to** ten.* (Jest **za** *12* dziesiąta.)

ćwiczenia

1. Ułóż wypowiedzi w sensowne dialogi.

Dialog 1

..... **a.** *Yes, of course.*

..*1*.. **b.** *Is that Harry?*

..... **c.** *Can I leave a message?*

..... **d.** *Sorry, no. He's out. Who's speaking?*

..... **e.** *I'm not sure.*

..... **f.** *Could he call me as soon as he gets back.*

..... **g.** *It's Ania. When will he be back?*

Dialog 2

..... **a.** *Maybe you've got the wrong number?*

..... **b.** *The phone seems to be engaged.*

..*1*.. **c.** *What's the problem?*

..... **d.** *Why don't you try again later?*

..... **e.** *I can't get through.*

2. Dopasuj wypowiedzi a-f do 1-6, aby utworzyć dwa sensowne dialogi.

Hello, Dave?

1. ....

Sorry about that earlier.

2. ....

Actually, I had to hang up.

3. ....

It was the cat...

Extension 396, please.

4. ....

Yes, of course.

5. ....

Thank you.

6. ....

a. *What happened?*
b. *I'm putting you through.*
c. *Speaking.*
d. *Please hold the line.*
e. *Yes, we seem to have got cut off.*
f. *(The phone's ringing).*

3. Dopisz wyrazy w ramce w odpowiednim miejscu tak, by cała wypowiedź miała sens.

~~always~~, usually, often, sometimes, rarely, never

I really like David but...
1. *I don't get the chance to speak to him.*
2. *He's at home when I call.*
3. *If he is, he's **always** on the phone and*
4. *I can get through.*
5. *He calls me from work but...*
6. *he doesn't have much time to talk.*

4. Uzupełnij luki. Wstaw **by** lub **like**.

1. *He's just .... my brother.*

2. *I've sent it .... post.*

3. *He's a builder .... trade, but he can do most anything.*

4. *I usually travel to work .... tube.*

5. *I walk .... her house every day.*

6. *What is your sister .... ?*

7. *I've not done this very well .... your standards.*

5. Dopasuj wypowiedzi a-e do 1-5, aby utworzyć sensowny dialog.

A: *How are you?*

1. ***B:***

....

A: *Is there something wrong?*

B: *Not really.*

2. ***A:*** ....

3. ***B:*** ....

A: *Do you need a coffee?*

4. ***B:***

....

A: *So what time did you get to bed?*

5. ***B:***

....

A: *You'll need a black coffee, then.*

a. *Early mornings, you mean.*
b. *Around three, I think.*
c. *All right, I suppose.*
d. *Yes, I could really do with one.*
e. *It's all those late nights, I guess?*

6. Uzupełnij luki. Wpisz w pełnej formie godziny podane w nawiasach.

1. *It's* .... *(1.25)*
2. *It's* .... *(3.45)*
3. *It's* .... *(6.30)*
4. *It's* .... *(7.55)*
5. *It's* .... *(7.10)*

„In an emergency dial 999"

(W razie nagłego wypadku wybierz 999)

W Anglii od wielu lat jest tylko jeden numer „999", na który dzwoni się w razie nagłego wypadku. Odpowiada operator, który łączy z odpowiednią służbą – *Ambulance* (pogotowie), *Fire Brigade* (straż pożarna), *Police* (policja) itp. W wielu krajach, włącznie z Polską, każda służba ma inny numer. Unia Europejska stara się wprowadzić jednolity numer „112" dla wszystkich swoich krajów członkowskich – operator musi znać język danego kraju i jęz. ang.

Klucz do ćwiczeń

1. 1b, d, g, e, c, a, f; 2c, e, a, b, d **2.** 1c 2e 3a 4d 5b 6f **3.** 1. I don't often get... 2. He's rarely at... 3. he's always on... 4. I can never get... 5. He sometimes calls/Sometimes, he calls...6. he doesn't usually have... **4.** 2, 3, 4, 5, 7 by 1, 6 like **5.** 1c 2e 3a 4d 5b **6.** 1. twenty-five past one 2. quarter to four 3. half past six 4. five to eight 5. ten past seven

14. Nine-to-Five

DAVE: – Harry, I'll be with you in just a mo...
HARRY: – New office? I had no idea. New secretary?
DAVE: – No. Maggie! Go on, get out Harry. Ah, Maggie, could you entertain him or something? Just ten minutes, please.
SECRETARY – MAGGIE: – Come on Harry, I'll give you all the gossip. There's a minor panic on. Dave'll have it sorted in a few minutes.
HARRY: – How've you been Maggie?
MAGGIE: – Not too bad, and yourself? ...
DAVE: – You can come on in now, Harry. Thanks Maggie.
HARRY: – Is it safe?
DAVE: – It never is. Maggie, hold the fort, could you?
MAGGIE: – I'll think of something, won't I? I usually do.
DAVE: – Thank you again, Maggie. Harry and I need to do some serious talking, don't we?
HARRY: – Do we? Yes, we do, unfortunately...
DAVE: – Okay, tell me what you need.
HARRY: – I'm not very good at selling myself on paper, so I was hoping you could advise me on how best to present my CV.
DAVE: – And the covering letter - that's what gets the initial attention. A CV should never be more than two-three pages long, clearly laid out for easy reading, no spelling mistakes...
HARRY: – Do you have any examples I could look at?
DAVE: – I'll send you a template. In the meantime, get a list together: abilities, training, qualifications, hobbies, interests, job experience, achievements... I'll help you sort it all out.

Słownictwo

I'll be with you in a moment – zaraz się tobą zajmę

I had no idea – nie miałem pojęcia

go on, get out – no wyjdź, wyjdź

entertain sb – zająć się kimś/zabawić kogoś

come on/come on in - no chodź/wejdź
give the gossip - przekazać plotki
there's a minor panic on - jest mały kryzys
sort/sort out - uporządkować
How've you been? - Co u ciebie?
not too bad - nieźle
hold the fort - stać na straży
I'll think of something - coś wymyślę
do some serious talking - poważnie porozmawiać
unfortunately - niestety
tell sb sth - powiedzieć komuś coś
I was hoping - miałem nadzieję
advise sb on sth - poradzić komuś w sprawie czegoś
covering letter - list motywacyjny
get the initial attention - przyciągać uwagę
more than two-three pages long - ponad 2-3 strony długości
clearly laid out - przejrzyście ułożone
for easy reading - aby łatwo się czytało
no spelling mistakes - bez błędów ortograficznych
send sb sth - wysłać komuś coś
a template - szablon/wzór
in the meantime - w międzyczasie
get a list together - sporządzić listę

Tłumaczenie

Od 9.00 do 17.00. **D:** Harry, zaraz się tobą zajmę... **H:** Nowe biuro? Nie miałem pojęcia. Nowa sekretarka? **D:** Nie. Maggie! No wyjdź Harry. Aaa, Maggie, czy mogłabyś się nim zająć? Tylko 10 minut, proszę. **M:** Chodź Harry, przekażę ci plotki. Mamy mały kryzys. Dave wszystko uporządkuje w ciągu paru minut. **H:** Co u ciebie? **M:** Nieźle, a u ciebie? **D:** Możesz już wejść, Harry. Dzięki, Maggie. **H:** W porządku? **D:** Nigdy nie jest w porządku. Maggie, proszę stój na straży. **M:** Coś przecież wymyślę. Jak zwykle. **D:** Wielkie dzięki, Maggie. Harry i ja musimy poważnie porozmawiać, co? **H:** Niestety to prawda... **D:** No dobrze, mów, czego potrzebujesz. **H:** Nie umiem się dobrze zaprezentować na papierze i miałem nadzieję, że mi poradzisz, jak najlepiej przygotować CV. **D:** I list motywacyjny - to list przyciąga uwagę na początku. CV nie powinno nigdy być dłuższe niż 2-3 strony, przejrzyście skomponowane, by ułatwić czytanie, bez błędów ortograficznych... **H:** Czy masz jakieś przykłady, które mógłbym obejrzeć? **D:** Wyślę ci szablon. Tymczasem sporządź listę: umiejętności, szkolenia, kwalifikacje, hobby, zainteresowania, doświadczenie zawodowe, osiągnięcia... Pomogę ci to wszystko ułożyć.

Więcej słówek i zwrotów

What do you do (for a living)? - Czym się zajmujesz?
What's his job? - Jaką ma pracę?
What kind of work does he do? - Jaką pracę wykonuje?
be in advertising - pracować w reklamie
be a bricklayer - być murarzem
be retired/unemployed - być emerytem/bezrobotnym
work for a publishing company - pracować dla firmy wydawniczej
...for a firm of lawyers - ...dla zespołu adwokackiego
...in the travel industry/trade - ...w branży turystycznej
...in a factory/an office - ...w fabryce/biurze
some kind of financial specialist - jakiegoś rodzaju specjalistą od finansów
work part-time/full-time - pracować na pół etatu/cały etat
work flexitime - mieć nienormowany czas pracy

Jak to działa?

Wyrażenia z operatorem: tags

W jęz. potocznym często używamy na końcu zdania wyrażenia z operatorem i zaimkiem:

I'll *think of something,* ***won't I.*** (Coś **przecież** wymyślę.)
This is *Dave's,* ***isn't it?*** (To jest Dave'a, **prawda?**)

Jeśli w zdaniu nie ma operatora, wstawiamy odpowienią formę operatora **do** (do, does, did):

Harry and I need *to do some serious talking,* ***don't we?*** (Harry i ja musimy poważnie porozmawiać, **prawda?**)

W trybie rozkazującym dodajemy odpowiednią formę grzecznościową:

Maggie, hold the fort, ***could you?*** (Maggie, **proszę** stój na straży.)

Te krótkie zwroty są szczególnie ważne w sytuacjach, gdy chcemy nawiązać rozmowę, np. na ulicy czy na spotkaniu oficjalnym:

It's a lovely day, ***isn't it?*** (Piękny dziś dzień, **prawda?**)
It's a great idea, ***isn't it?*** (Świetny pomysł, **nie uważasz?**)

stwierdzenie	przeczenie	przeczenie	stwierdzenie
*It**'s** nice*	***isn't** it?*	*It **isn't** very nice*	***is** it?*
*We**'ve** been*	***haven't** we?*	*We **haven't** been yet*	***have** we?*
*They **can** go*	***can't** they?*	*They **can't** go*	***can** they?*
You knew	***didn't** you?*	*You **didn't** know*	***did** you?*
*She**'ll** come*	***won't** she?*	*She **won't** come*	***will** she?*

Liczba mnoga

Liczbę mnogą większości rzeczowników policzalnych tworzymy dodając końcówkę **-s**:

*achievement - achievement**s*** (osiągnięcia)
*qualification - qualification**s*** (kwalifikacje)
*interest - interest**s*** (zainteresowania)
*example - example**s*** (przykłady)
*piano - piano**s*** (pianina)

W wyrazach, które kończą się na **spółgłoskę + y**, usuwamy **-y** i dodajemy **-ies**.

Porównaj:

spółgłoska + y	samogłoska +y
*quali**ty** - quali**ties*** (umiejętności)	*d**ay** - day**s*** (dni)
*hob**by** - hob**bies*** (hobby)	*k**ey** - key**s*** (klucze)
*la**dy** - la**dies*** (panie)	*b**oy** - boy**s*** (chłopcy)

Niektóre rzeczowniki mają nieregularne formy liczby mnogiej:

man - *men* (mężczyźni)
woman - *women* (kobiety)
child - *children* (dzieci)
person - *people* (ludzie)
sheep - *sheep* (owce)
yourself - *yourselves* (się)
tooth - *teeth* (zęby)
foot - *feet* (stopy)
tomato - *tomatoes* (pomidory)
potato - *potatoes* (kartofle)
life - *lives* (życia)
knife - *knives* (noże)

Wymowa końcówki **-s** jest różna:

- /**s**/ po spółgłoskach bezdźwięcznych /p, t, k, f, θ/:
  *sho**ps*** (sklepy), *subje**cts*** (przedmioty), *mista**kes*** (błędy), *anti**ques*** (antyki), *gira**ffes*** (żyrafy), *mon**ths*** (miesiące)
- /**z**/ po spółgłoskach dźwięcznych:
  *gra**des*** (oceny), *ba**gs*** (torby), *shel**ves*** (półki), *ta**bles*** (stoły), *tra**ys*** (tace), *phot**os*** (zdjęcia)
- po dźwiękach „syczących" /tʃ,dʒ, ts, z, ʃ, ʒ/ dodajemy końcówkę **-s** lub **-es** i wymawiamy /ɪz/:
  match - *mat**ches*** (zapałki), *fridge* - *frid**ges*** (lodówki), *cage* - *ca**ges*** (klatki), *bus* - *bu**ses*** (autobusy), *face* - *fa**ces*** (twarze), *box* - *box**es*** (pudełka), *size* - *si**zes*** (rozmiary), *wish* - *wi**shes*** (życzenia), *garage* - *gara**ges*** (garaże), *massage* - *massa**ges*** (masaże)

Rzeczowniki niepoliczalne mają jedną formę:

rain (deszcz)
flour (mąka)
experience (doświadczenie/-a)
information (informacja/-e)
furniture (mebel/meble)
music (muzyka)
water (woda)
advice (rada/-dy)
news (wiadomość/-ści)
work (praca/-e)

Zaimki zwrotne

Zaimków zwrotnych najczęściej używamy, by podkreślić daną osobę, i na ogół umieszczamy je przy końcu zdania:

*Perhaps **we** should introduce **ourselves**?* (Może powinniśmy się przedstawić?)

I	***myself***	*we*	***ourselves***
you	***yourself***	*you*	***yourselves***
he/she/it	***himself/herself/itself***	*they*	***themselves***

Tłumaczymy je:

- zwykle jako „**się, siebie, sobie**":
  *I'm not good at selling **myself** on paper.* (Nie umiem się dobrze zaprezentować na papierze.)
  *Help **yourself/selves** to the food.* (Poczęstuj/poczęstujcie się jedzeniem.)
- jako „**sam/sami**":
  *He lives by **himself**.* (Mieszka sam.)
- lub czasem innym wyrazem:
  *Not too bad, and **yourself**?* (Nieźle, a u ciebie?)

Wyraz **'self-'** bywa używany w połączeniu z innymi:

__self__-employed („sam siebie zatrudniam"/pracuję na własny rachunek)
__self__-defence (samoobrona)
__self__-confident (pewny siebie)

CV (Curriculum Vitae):

Name (imię i nazwisko)
Address (adres)
Telephone number (numer telefonu)
Email address (adres e-mail)

PROFILE: (wprowadzenie)
Krótki wstępny akapit o najciekawszych aspektach umiejętności, doświadczenia zawodowego i cech osobistych kandydata.

ABILITIES: (umiejętności)
wypunktowana lista

MAJOR ACHIEVEMENTS: (ważne osiągnięcia)
wypunktowana lista 3-6 ważnych osiągnięć

EXPERIENCE: (doświadczenie zawodowe)
2000 – date **COMPANY NAME** (nazwa firmy)
(2000 do dziś)
2003 – 2004 **Job Title** (stanowisko zajmowane)
responsibilities and achievements (obowiązki i osiągnięcia)

OTHER EXPERIENCE: (inne doświadczenia)
wypunktowana lista

TRAINING: (szkolenia)
wypunktowana lista

QUALIFICATIONS: (kwalifikacje)
Degree title and university (Tytuł naukowy/uczelnia)
A levels - subjects, grades (Matura - przedmioty/oceny)

PERSONAL DETAILS: (dane osobowe)
Date of Birth: 24th February 1964.
(data urodzenia)
Marital Status: *Single/Married*
(stan cywilny - niezamężna, nieżonaty/zamężna, żonaty
Driving Licence: clean.
(prawo jazdy - bez wykroczeń)

INTERESTS: (zainteresowania)
krótki opis

CV studenta/absolwenta różni się w niektórych punktach:
Profile, Education (wykształcenie), Experience, Computer Skills, Personal Details, Interests, Referees (referenci) – wpisujemy dane dwóch referentów.

ćwiczenia

1. Dopasuj wypowiedzi a-e do 1-5, aby utworzyć dwa sensowne dialogi.

What do you do for a living?

1. ....

I'm in the travel industry.

2. ....

Not much, lately.

Who's that man?

3. ....

What about that woman?

4. ....

And the man next to her?

5. ....

a. *I think he has something to do with advertising.*
b. *Do you do much travelling yourself?*
c. *He's the company lawyer.*
d. *She works in the office.*
e. *I work for a publishing company. And you?*

2. Uzupełnij luki wyrazami z ramki.

advertising	***factory***	***firm***	***industry***
experience	***job***	***part-time***	***student***

What kind of work do you do?

I'm still a ...., but I work .... in an office.

My first .... was in a .... I've worked in the

travel ...., and in .... I've also worked for

a .... of lawyers. I've got quite a lot of ....

in office work of all kinds.

3. Uzupełnij luki odpowiednim zaimkiem zwrotnym.

Could we all please introduce .... before we start the meeting. There are one or two new faces including Harry's, he's the one standing by .... over there. I'll be going round and saying hello to everybody .... Help .... to the food and drinks and enjoy .... before we do the more serious talking.

4. Uzupełnij dialog odpowiednimi krótkimi zwrotami z operatorem i zamkiem.

The weather...

It's a lovely today, ...?

It's not too bad, ...?

Yes, but they said it might rain later, ...?

They didn't, ...?

Well, we could do with a little rain, ...?

It would be best if it rained during the night,...........................?

But it won't, ...?

It's started to rain, ...?

5. Przekształć podane wyrazy na liczbę mnogą.

box .... *cage* .... *child* ....

day .... *job* .... *knife* ....

match .... *person* .... *piano* ....

quality .... *shelf* .... *tomato* ....

tooth .... *wish* .... *woman* ....

hobby ....

School

Rok szkolny w Wielkiej Brytanii trwa od września do końca lipca i jest podzielony na *3 terms* (okresy) – dziecko dołącza do pierwszej klasy *Primary School* (podstawówki) w semestrze, w którym kończy 5 lat. W wieku 11-12 lat przechodzi do *Secondary School* (gimnazjum/szkoła średnia). W wieku 16 lat zdaje *GCSE* (*General Certificate of Secondary Education* – ekwiwalent matury podstawowej) przeważnie z ok. 6 przedmiotów. Potem może kontynuować naukę w danej szkole lub przenieść się do *College of Further Education* („kolegium dalszej edukacji") i zdawać kolejne egzaminy, tzw. *A levels* (*Advanced levels* – ekwiwalent matury rozszerzonej) z 3-5 przedmiotów w wieku 17 i 18 lat. Nie ma obowiązkowych przedmiotów, uczeń sam je wybiera pod kątem swoich planów na przyszłość. Jakość wyników *GCSE* i *A level* decyduje o możliwości dostania się na studia.

Klucz do ćwiczeń

1. 1e 2b 3c 4d 5a **2.** 1. student 2. part-time 3. job 4. factory 5. industry 6. advertising 7. firm 8. experience **3.** 1. ourselves 2. himself 3. myself 4. yourselves 5. yourselves **4.** 1. isn't it 2. is it 3. didn't they 4. did they 5. couldn't we 6. wouldn't it 7. will it 8. hasn't it **5.** boxes, cages, children, days, jobs, knives, matches, people, pianos, qualities, shelves, tomatoes, teeth, wishes, women, hobbies

15. To: mr@harrysmith.co.uk

From: Dave Jones
To: mr@harrysmith.co.uk
Subject: Re: Taking a Break

Dear Harry,
How's the job hunting going? And has Ania come up with anything interesting yet? I'm beginning to run out of things to do on land and was thinking of renting a narrowboat for a few days. Don't suppose you'd be interested?
DJ

From: Harry Smith
To: djs.locker@freeserve.co.uk
Subject: Re: Wanting a Break

Dear DJ,
What has the world come to? Where have all those raunchy seaside postcards gone to since the invention of emails? But then, you're not exactly at the seaside, are you?
About the invitation, are you serious? The job hunting is getting me down and I could really do with a breather right now. Must be doing something wrong. Can't be the CV, not after all your help. Ania isn't faring any better either.
Harry.

From: Dave Jones
Invite Ania. Make it a long weekend. Thurs to Mon?
DJ

From: Harry Smith
Coming on Thurs. Both of us have to be back on Tues. Harry

Słownictwo

take a break - zrobić sobie przerwę
job hunting - szukanie pracy
come up with sth - wymyśleć/znaleźć coś
run out of - wyczerpać
on land - na lądzie
I don't suppose you'd... - Może byłbyś...

be interested - być zainteresowanym
What has the world come to? - Do czego to doszło?
raunchy seaside postcards - pieprzne nadmorskie pocztówki
since the invention of... - odkąd wynaleziono...
you're not exactly... - tak naprawdę to nie jesteś...
at the seaside - nad morzem
about the invitation - co do zaproszenia
be serious - być poważnym
get sb down - przygnębiać
could do with a breather - przydałoby się odetchnąć
right now - w tej chwili
do sth right/wrong - zrobić coś dobrze/źle
fare better - wieść się lepiej
both of us - my oboje
make it a long weekend - niech to będzie długi weekend

Tłumaczenie

Do: mr@harrysmith.co.uk **Od:** Dave Jones **Do:** mr@harrysmith.co.uk **Temat:** Przerwa. Drogi Harry, jak tam szukanie pracy? I czy Ania znalazła już coś interesującego? Zaczyna mi brakować zajęć na suchym lądzie i zastanawiałem się, czy nie wypożyczyć łódki na parę dni. Może byłbyś zainteresowany? DJ ■ **Od:** Harry Smith **Do:** djs.locker@freeserve.co.uk **Temat:** Przerwa. Drogi DJ, do czego to doszło? Gdzie się podziały te wszystkie pieprzne nadmorskie pocztówki, odkąd wynaleziono e-maile? Ale tak naprawdę nie jesteś nad morzem, no nie? Co do zaproszenia, poważnie? Szukanie pracy mnie przygnębia i bardzo by mi się przydało trochę odetchnąć. Na pewno coś robię nie tak. Niemożliwe, żeby to była wina CV, nie po tej całej twojej pomocy. Ani wcale lepiej się nie powodzi. Harry ■ **Od:** Dave Jones Zaproś Anię. Na długi weekend. Cz.-pn.? DJ ■ **Od:** Harry Smith Przyjeżdżamy w cz. Oboje musimy być z powrotem we wt. Harry.

Więcej słówek i zwrotów

What are you up to? - Co robisz?
Where are you off to? - Dokąd idziesz?
Do you fancy going for/to... - Czy masz ochotę pójść na/do...
I'm going out with... - Jestem umówiony/Wychodzę z...
Why not come along? - Chodź z nami.
Come with/Bring a friend. - Przyprowadź przyjaciela.
You're welcome to come. - Będziesz mile widziany.
Do come. - Przyjdź koniecznie.
Never mind. It's on me. - Nie szkodzi. Ja płacę.
Good idea./That'd be great. - Dobry pomysł/Byłoby świetnie.
see what's on - zobaczyć co grają (w kinie/teatrze)
be broke - być spłukanym

Jak to działa?

Wyrażenia modalne: must, can't, have to

Czasownika **have to** (musieć) używamy, kiedy warunki zewnętrzne zmuszają nas do działania:

Both of us ***have to be back*** *on Tuesday.* (Oboje **musimy być z powrotem** we wtorek.) - dzieje się coś (zob. L17), co zmusza nas do obecności w Londynie we wtorek.
I ***have to*** *go.* (**Muszę** iść.) - bo np. spóźnię się na autobus
I ***have to*** *see him.* (**Muszę** się z nim zobaczyć.) - bo np. nie będę miał innej okazji.

Czasownika **must** (musieć) używamy tylko wtedy, kiedy jesteśmy w pełni o czymś przekonani:

I ***must be doing*** *something wrong.* (**Na pewno** coś **robię** nie tak.)

Can't używamy, kiedy jesteśmy przekonani o niemożliwości sytuacji:

It ***can't be*** *the CV, not after all your help.* (**Niemożliwe, żeby** to **było** CV, nie po całej tej twojej pomocy.)

Szyk wyrazów w zdaniu: yet, either

Przysłówki **yet** („jak dotąd") i **either** („też nie") umieszczamy na końcu zdania:

Has Ania come up with anything interesting ***yet****?* (Czy Ania znalazła **już** coś interesującego?)
Ania isn't faring any better ***either****.* (Ani **też** wcale się lepiej nie powodzi.)

Przyimki: on, at

On używamy mając na myśli konkretny dzień lub datę:

We're coming ***on Thursday.*** (Przyjeżdżamy w czwartek.)
on Christmas Day (w pierwszy dzień Świąt)
on 12th February (dwunastego lutego)
on a cold winter's day (w zimny zimowy dzień)
on your birthday (na urodziny)

On używamy również, by określić, że coś styka się z jakąś powierzchnią lub linią:

It's ***on*** *the table.* (Leży **na** stole.)
I live ***on*** *Green St.* (Mieszkam **na** ulicy Green.)

On może także znaczyć **„dalej"**:

Turn left and then straight ***on.*** (Skręć w lewo, a potem **dalej** prosto.)

On jest częścią wielu zwrotów:

I got on a bus. (Wsiadłam do autobusu.)
What's on? (Co grają?)
What's going on? (Co się dzieje?)
I'm on the phone. (Rozmawiam przez telefon.)
Will everything be ready on time? (Czy wszystko będzie gotowe na czas?)

At wskazuje punkt w przestrzeni lub czasie:

They live ***at*** no. 6. (Mieszkają **pod** nr 6.)
He's not ***at*** the seaside. (On nie jest **nad** morzem.)
It starts ***at*** 3.30. (Zaczyna się **o** 15.30.)
She's ***at*** work/home. (Ona jest **w** pracy/domu.)
Look ***at*** him. (Patrz **na** niego.)

@ jest elektronicznym zapisem przyimka **at**:

...@freeserve.co.uk - czyli pod adresem freeserve. co.uk w przestrzeni wirtualnej.

E-maile:

W korespondencji prywatnej:

- na powitanie używamy zwrotów takich jak:
  Dear.../Hello/Hi/Cheers (Drogi.../Halo/Witam/Cześć)
- na pożegnanie:
  Lots of love/See you/Take care (ściskam i całuję/do zobaczenia/uważaj na siebie)
- e-maile są formą podobną do rozmowy i często używamy niepełnych form gramatycznych i skrótów:
  Coming on Thurs. - We are coming. (Przyjeżdżamy w czw.)
  Both of us have to be back on Tues. - The both... (Oboje musimy być z powrotem we wt.)

W korespondencji biznesowej:

- na powitanie używamy: *John, Dear/Hi John* lub tylko *Hi.*
- żegnamy się: *Best/Regards* (Pozdrawiam) lub *Yours,* jeśli słabo znamy adresata.
- załączniki, inaczej niż w liście oficjalnym, nazywamy „attachments”:
  Attached the info you requested. (W załączeniu informacje, o które prosiłeś.)
- używamy niepełnych form gramatycznych i trybu rozkazującego:
  Just to confirm... - I would like to confirm... (Chciałbym potwierdzić...)
  Please advise of any changes. (Proszę zawiadomić o wszelkich zmianach.)
- i różnych skrótów językowych podobnie jak w SMS-ach:
  Pls confirm receipt asap - please/as soon as possible. (Proszę potwierdzić odbiór tak szybko, jak to tylko możliwe.)
  info - information (informacje)

ćwiczenia

1. Dopasuj wypowiedzi a-h do 1-8, aby utworzyć trzy sensowne dialogi.

a. *Sounds good but I'm broke.*
b. *I'm staying at home.*
c. *Let's see what's on.*
d. *Nothing much.*
e. *Just to the local pub. Why not come along?*
f. *Good idea.*
g. *I'm going out with some friends.*
h. *Bring a friend.*

Are you doing anything later?

1. ....

How about going to the pub?

2. ....

Never mind. It's on me.

Have you got any plans for this evening?

3. ....

Where to?

4. ....

That'd be great.

5. ....

What are you up to at the weekend?

6. ....

Do you fancy going to see a film?

7. ....

Anything special you want to see?

8. ....

2. Uporządkuj wyrazy w poszczególnych wypowiedziach.

1. *seen yet I anybody haven't.* ....

2. *not he's either coming.* ....

3. *you looking what at are?* ....

4. *on what's going been?* ....

5. *he yet arrived has?* ....

6. *I seen either haven't him.* ....

3. Uzupełnij luki. Użyj **at** lub **on**.

1. *I'm meeting him .... 6.00.*

2. *I'll give it to him .... his birthday.*

3. *He's leaving .... Saturday.*

4. *Let's look .... those emails.*

5. *She's working part-time .... the moment.*

6. *They'll be .... home by 9.00.*

7. *We live .... Green St.*

8. *He's still .... the phone.*

4. Uzupełnij dialog. Wstaw **must**, **can't** lub **have to**.

A: *Is that Ania?*

B: *You .... have the wrong number.*

A: *Is this 534 7765?*

B: *Yes, it is. But there's no Ania here.*

A: *That .... be right.*

B: *Maybe you dialled the wrong number.*

A: *Thank you. I'll .... try again.*

5. Przetłumacz zwroty w nawiasach. Użyj odpowiednich skrótów i form gramatycznych.

(Cześć) Dave

....

(Mam nadzieję, że wszystko idzie dobrze.)

....

(Chciałbym potwierdzić) your arrival – (śr) 16th at 2.30 pm. Terminal 1.

....

(Proszę) advise of any changes (tak szybko, jak to tylko możliwe).

....

(W załączeniu) (informacje) you requested.

....

(Pozdrawiam)

....

Maggie

djs.locker@...

DJ nie oznacza w tym wypadku *disc jockey* (didżej), lecz *Davy Jones's locker* (dno morza/grób poległych na morzu – *Davy Jones'a* uważano w XVIII w. za złego ducha morza; *locker* – szafka). Fakt, że Wielka Brytania jest wyspą, oznacza, że morze zawsze miało wielki wpływ na Anglików i także na język angielski. Jest wiele zwrotów w codziennym użyciu bezpośrednio związanych z życiem na morzu np. *on land* (na „suchym" lądzie), *know the ropes* (znać się „na sznurach" – szczegółach „danej pracy" itp), *all in the same boat,* (wszyscy w tej samej „łódce" – sytuacji), *be on course* (płynąć według wyznaczonej trasy – być na dobrej drodze).

Klucz do ćwiczeń

1. 1b 2a 3g 4e 5h 6d 7f 8c **2.** 1. I haven't seen anybody yet. 2. He's not coming either. 3. What are you looking at? 4. What's been going on? 5. Has he arrived yet? 6. I haven't seen him either. **3.** 1, 4, 5, 6 - at 2, 3, 7, 8 - on **4.** must, can't, have to **5.** 1. Hi... 2. Hope all goes well. 3. Just to confirm... 4. ...Wed... 5. Pls... 6. ...asap. 7. Attached... 8. ...the info... 9. Best/Regards

16. The 9.20 to Banbury is...

30

ANIA: - We should be there soon. Yes, this is it, isn't it?
HARRY: - Yes. You can get to all the mainline stations by tube. Look, there's the exit for Marylebone mainline.
ANIA: - Dave said to come as early as possible, didn't he?
HARRY: - No later than 11.00. So, I suggest either the 8.50 or the 9.20. They're both direct. If we take an earlier or a later train, we'll have to change at Reading.
ANIA: - Did you check the return train times?
HARRY: - Yes, I did. The whole system's gone mad, since it was privatised. It was sold off in sections. We're leaving from Marylebone, returning to Paddington, and, we could be travelling with anything up to four different train companies.
ANIA: - What do you mean?
HARRY: - It's complicated. We'll have over an hour, on the way to Banbury, for me to try and explain about what was once British Rail.
ANIA: - Oh well, will Dave be picking us up at the station?
HARRY: - He should be. If I know him, he'll already have planned everything and found the best boat rental deal.
ANIA: - What am I letting myself in for?
HARRY: - Nothing more than a British-style boating experience.
ANIA: - Ah well, here goes. Singles or returns?
HARRY: - Returns, coming back via Oxford.
ANIA: - Two return tickets to Banbury, for tomorrow, please. The return via Oxford, on Monday.

31

Słownictwo

mainline station - dworzec główny
they're both direct - oba są bezpośrednie
take a train - pojechać pociągiem
change - przesiąść się
the whole system - cały system
go mad - zwariować
sell off in sections - odsprzedać w częściach
travel with - podróżować z
anything up to 4 - nawet 4
it's complicated - to jest skomplikowane
over an hour - ponad godzinę
what was once - co kiedyś było
on the way to - po drodze do

the best deal - najlepsza oferta
boat rental - wynajęcie łodzi
let yourself in for sth - dać się wrobić
British-style - w brytyjskim stylu
ah well, here goes - no dobrze
singles or returns - w jedną stronę czy powrotne
come back via/return via - wrócić przez
two tickets to... - dwa bilety do...

Tłumaczenie

Pociąg o 9.20 do Banbury stoi przy... **A:** Powiniśmy niedługo dojechać. Tak, to tu, prawda? **H:** Tak. Do wszystkich głównych dworców można dojechać metrem. Patrz, tam jest wyjście na dworzec Marylebone. **A:** Dave powiedział, że mamy jak najwcześniej przyjechać, prawda? **H:** Nie później niż o 11.00. Więc proponuję pociąg o 8.50 lub ten o 9.20. Oba są bezpośrednie. Jeśli pojedziemy którymkolwiek wcześniejszym lub późniejszym, będziemy musieli przesiąść się w Reading. **A:** Sprawdzałeś godziny pociągów powrotnych? **H:** Tak, sprawdzałem. Cały system zwariował, odkąd został sprywatyzowany. Odsprzedano go w częściach. Wyjeżdżamy z Marylebone, wracamy do Paddington, i możliwe, że będziemy podróżować 4 różnymi firmami kolejowymi. **A:** Jak to? **H:** To jest zbyt skomplikowane. Będziemy mieli ponad godzinę w drodze do Banbury, żebym spróbował ci opowiedzieć, co to były Koleje Brytyjskie. **A:** Czy Dave nas odbierze na dworcu? **H:** Powinien. Jak go znam, już wszystko będzie zaplanowane, włącznie ze znalezieniem najlepszej oferty wynajmu. **A:** W co ja się pakuję? **H:** W nic takiego poza doświadczeniem, jak się pływa łodzią w brytyjskim stylu. **A:** A więc do dzieła. W jedną stronę czy powrotne? **H:** Powrotne, powrót przez Oksford. **A:** Poproszę 2 bilety powrotne do Banbury na jutro. Powrót, przez Oksford, w poniedziałek.

Więcej słówek i zwrotów

go on holiday/a trip - jechać na wakacje/wycieczkę
take/have a break - robić sobie przerwę
get a travel card - kupić bilet sieciowy
a day return to... - jednodniowy bilet powrotny do...
two adults and a child to... - 2 bilety normalne i jeden dla dziecka do...
the Left Luggage Office - przechowalnia bagażu
the next train to... - następny pociąg do...
Which platform for trains to...? - Z którego peronu do...?
Is this the train to...? - Czy to pociąg do...?
Is this seat taken? - Czy to miejsce jest zajęte?
How many stops to...? - Ile przystanków do...?
a ticket collector - kontroler biletów
bus/coach/train station - dworzec autobusowy/autokarowy/kolejowy

Jak to działa?

Strona bierna: Past Simple

Stronę bierną w czasie Past Simple tworzymy używając operatora **be** w formie **was, were** i **3. formy czasownika głównego**:

*Since it **was privatised**.* (Odkąd zostało sprywatyzowane.)
*They **were sold off**.* (Zostały odsprzedane.)

Wyrażenia modalne: should

Should najczęściej tłumaczymy jako **„powinien"**:

*We **should** be there soon.* (**Powinniśmy** niedługo dojechać.)
*Will Dave be picking us up? He **should** be.* (Czy Dave nas odbierze? Tak, **powinien**.)

Porównania: as...as/...than

As...as tłumaczymy na ogół jako **tak...jak** lub **tyle...ile**:

*Come **as early as** possible.* (Przyjdź **tak** wcześnie, **jak** to możliwe. Czyli: „jak najwcześniej")
*You 'buy' **as much time as** you need.* („Kupujesz" **tyle** czasu, **ile** potrzebujesz.)
*It's rarely **as quiet as** this at work.* (Rzadko bywa w pracy **tak** spokojnie, **jak** teraz.)

...than tłumaczymy najczęściej jako **...niż**:

*No **later than** 11.00.* (Nie **później niż** o 11.00.)
*It's **more than** three pages long.* (Ma **ponad/więcej niż** 3 strony długości.)
*A little **less than** five minutes to curtain up.* (Mamy **niecałe/mniej niż** 5 minut do podniesienia kurtyny.)

W wyrażeniu **as...as** przymiotnik i przysłówek występuje w formie podstawowej:

as early as (tak wcześnie jak), *as late as* (tak późno jak), *as big as* (tak duży jak)

W wyrażeniu **...than**, przymiotnik lub przysłówek występuje w stopniu wyższym, z końcówką **-er** lub z wyrazem **more**:

earlier than, later than, bigger than (wcześniej niż, później niż, większy niż)
more interesting than (bardziej interesujące niż),
more expensive than (droższe niż)

By wzmocnić wypowiedź, możemy dodać m.in. **much**:

A first class ticket is ***much more expensive.*** (Bilet pierwszej klasy jest o **wiele droższy**.)

Jeden wyraz, różne części mowy: return

To samo słowo może różnie funkcjonować w tekście, często nie zmieniając swojej formy, np. „**return**":

- Jako rzeczownik:
  The ***return*** *via Oxford.* (**Powrót** przez Oksford.)
  A single or ***return****?* (**Bilet** w jedną stronę czy **powrotny**?)
- Jako czasownik:
  Return *via Oxford.* (**Wróć/Wróćcie** przez Oksford.)
- Jako przymiotnik:
  Two ***return*** *tickets to Banbury.* (2 bilety **powrotne** do Banbury.)

Przez tę prostotę bardzo ważna staje się kolejność wyrazów w zdaniu. Tam, gdzie w jęz. pol. związki znaczeniowe między słowami są przekazywane przez ich formę gramatyczną, w jęz. ang. zależą od odpowiedniego doboru i umiejscowienia słów w zdaniu:

Two ***return*** *tickets.* (2 bilety **powrotne**./2 powrotne bilety.)
Return *two tickets.* (**Zwróć** 2 bilety.)

ćwiczenia

1. Dopasuj wypowiedzi a-f do 1-6, aby utworzyć dwa sensowne dialogi.

Two adults and three children to Brighton, please.

1. ....

2. ....

You'll just make the 9.30.

3. ....

Platform 10.

Is this the Brighton train?

4. ....

Thank you. Are these seats taken?

5. ....

How many stops are there on the way?

6. ....

a. *Which platform is that, please?*
b. *Yes, it's just about to leave.*
c. *There are two stops.*
d. *Day returns?*
e. *That's right. What time's the next train?*
f. *No, they aren't.*

2. Ułóż wypowiedzi w sensowne dialogi.

Dialog 1

..... **a.** *And then where?*

..... **b.** *Where to?*

..... **c.** *And then a trip around some of the islands.*

..... **d.** *We decided on Greece in the end.*

..*1*.. **e.** *We're going on holiday.*

..... **f.** *We'll be staying in Athens at first.*

..... **h.** *Where exactly?*

Dialog 2

..... **a.** *Where will you be staying?*

..... **b.** *Just a weekend trip to Scotland.*

..1.. **c.** *I'm taking a break.*

..... **d.** *With friends in Edinburgh.*

..... **e.** *Anywhere interesting?*

3. Wstaw wyrazy w nawiasach w odpowiedniej formie strony biernej w czasie przeszłym.

1. *The houses .... in 1922. (build)*

2. *British Rail .... a few years ago. (privatise)*

3. *Everything .... yesterday. (sell off)*

4. *These things .... damaged. (return)*

5. *Some of the clothes .... (tear)*

4. Uzupełnij dialog, korzystając z wyrazów z ramki tak, by tworzył logiczną całość.

can (x2) ***could*** ***might*** ***shall***
should (x2) ***shouldn't*** ***will***

1. *If the train's on time, we .... be there soon.*

2. *...................... we still have that coffee?*

3. *We .... but we .... just have time?*

4. .... *Dave be picking us up?*

5. *He* .... *be. But he said he* .... *be a little late.*

6. *We* .... *ring just before we arrive.*

7. .... *we go for that coffee then?*

5. Przetłumacz zwroty w nawiasach i uzupełnij nimi luki.

1. *Take* .... *you need.* (tyle czasu ile)

2. *Be there* .... *3.00.* (nie później niż)

3. *It's* .... *at the market.* (o wiele tańsze)

4. *Come* .... *you can.* (tak wcześnie jak)

5. *He's* .... *me.* (o wiele większy od)

6. *We'll leave* .... *possible.* (jak tylko)

7. *It takes* .... *15 mins to walk.* (mniej niż)

8. *That's* .... *I wanted to pay.* (więcej niż)

9. *It was* .... *I'd hoped.* (bardziej interesujący)

British Rail

W obrębie centralnego Londynu jest aż 10 głównych dworców kolejowych. Każdy ma wyznaczony rejon Wlk. Brytanii, który obsługuje np. *Euston* – północ i północny zachód Anglii oraz Szkocję; *Victoria* – południe i południowy wschód Anglii, *Gatwick Airport* (lotnisko Gatwick) i promy przez *the English Channel* (Kanał La Manche). Odkąd rozsprzedano kilku różnym przedsiębiorcom *British Rail* (Państwowe Koleje Brytyjskie), czasami trudno planować wyjazdy. Niektóre trasy powtarzają się, a ceny nie są jednolite. Można korzystać ze stron internetowych, które umożliwią odnalezienie najlepszych ofert.

Klucz do ćwiczeń

1. 1d 2e 3a 4b 5f 6c **2.** 1e, b, d, h, f, a, c; 2c, e, b, a, d **3.** 1. were built 2. was privatised 3. were sold off 4. was returned 5. were torn **4.** 1. should 2. can 3. shouldn't, might 4. will 5. should, could 6. can 7. shall **5.** 1. as much time as 2. no later than 3. much cheaper 4. as early as 5. much bigger than 6. as soon as 7. less than 8. more than 9. more interesting than

17. The British Bobby

HARRY: - They said the police station is just down the high street.
ANIA: - I'm so angry at myself. I put it down on the seat when I was zipping up my rucksack and forgot to pick it up again.
HARRY: - Calm down. I doubt if it's been stolen. It's most likely to be handed in by someone.
ANIA: - I don't know what's worse - losing my passport or my address book. I intended to write lots of postcards.
HARRY: - Come on now. Stop thinking the worst. It'll be okay...

ANIA: - Excuse me. I want to report a lost bag.
POLICE OFFICER: - Good morning. Where did you lose it then, love?
ANIA: - I left it on the train.
POLICE OFFICER: - Have you reported it at the Lost Property Office?
ANIA: - Yes, but my passport was in it and I'll probably need a receipt or something.
POLICE OFFICER: - We need your personal details and a description.
HARRY: - Ania's from Poland. I can give my details if you need a permanent contact address. We were travelling together...
POLICE OFFICER: - Now, could you describe the bag and the contents?
ANIA: - It's one of those bags you wear around the waist, a bumbag - black leather, a bit worn. Then there was my passport, address book - it's a kind of bluish green colour, striped. My ID card, student discount card, bus pass, my silver earrings, lots of other bits of paper and a £50 note.
POLICE OFFICER: - Now then. This is for you, confirming your report. You'll be contacted if it turns up. They usually do here.

Słownictwo

police officer - policjant
be angry - być złym/rozgniewanym
put sth down - położyć
zip up - zapiąć zamek błyskawiczny

a rucksack - plecak
calm down - uspokoić się/nie przejmować się
doubt - wątpić
it's most likely - najprawdopodobniej
hand in - zwrócić/oddać
intend to - mieć zamiar
lots of - dużo
come on now... it'll be okay - uspokój się... będzie dobrze
on the train - w pociągu
the Lost Property Office - biuro rzeczy znalezionych
describe the contents - opisz zawartość
around your waist - wokół pasa
a leather bumbag - skórzana saszetka
a bit worn - trochę zużyta/wytarta
a kind of... colour - o kolorze takim...
bluish green, striped - niebieskawo-zielony, w paski
ID/discount card - dowód/karta zniżkowa
bus pass - bilet sieciowy na autobus
silver earrings - srebrne kolczyki
bits of paper - kawałki papieru
a £50 note - banknot 50-funtowy
turn up - odnaleźć się

Tłumaczenie

Brytyjski policjant. **H:** Powiedzieli, że posterunek jest niedaleko, przy głównej ulicy. **A:** Jestem taka zła na siebie. Położyłam ją na siedzeniu, kiedy zapinałam plecak i zapomniałam podnieść. **H:** Nie przejmuj się. Wątpię, żeby została ukradziona. Najprawdopodobniej ktoś ją zwróci. **A:** Nie wiem, co gorsze - utrata paszportu czy notesu z adresami. Miałam zamiar pisać mnóstwo pocztówek. **H:** No już. Przestań myśleć o najgorszym. Będzie dobrze... ■ **A:** Przepraszam. Chciałam zgłosić zagubienie torebki. **P:** Dzień dobry. Gdzie ją zgubiłaś, kochana? **A:** Zostawiłam w pociągu. **P:** Czy zgłosiłaś w biurze rzeczy znalezionych? **A:** Tak, ale był w niej paszport i prawdopodobnie będę potrzebowała pokwitowania czy coś w tym rodzaju. **P:** Potrzebujemy twoich danych osobowych i opisu torebki. **H:** Ania jest z Polski. Mogę podać swoje dane, jeśli potrzebny jest stały adres. Razem podróżowaliśmy... **P:** A teraz, czy mógłbyś opisać torebkę i jej zawartość? **A:** To taka torebka, którą się nosi wokół pasa, saszetka - czarna, skórzana, trochę wytarta. No i miałam w niej paszport, notes z adresami - taki w kolorze niebieskawo-zielonym, w paski. Mój dowód, kartę zniżkową, bilet sieciowy na autobus, srebrne kolczyki, dużo różnych papierków i banknot 50-funtowy. **P:** To dla ciebie, potwierdzenie zgłoszenia. Skontakujemy się, jeśli się odnajdzie. Na ogół tutaj ludzie zwracają takie rzeczy.

Więcej słówek i zwrotów

be swindled/beaten up - być oszukanym/pobitym
be mugged/robbed - być napadniętym/okradzionym
be innocent/guilty - być niewinnym/winnym
speak to a lawyer - po-/rozmawiać z adwokatem
phone the consulate - zadzwonić do konsulatu
Does anyone speak Polish? - Czy ktoś mówi po polsku?
the officer in charge - policjant odpowiedzialny za daną sprawę
It was on Oxford St. - Wydarzyło się to na ulicy Oksford.
...on the bus/train to... - ...w autobusie/pociągu do...
parked on/off... St. - zaparkowany na/w pobliżu ulicy...
sb ran off with/snatched my purse - ktoś uciekł z/wyrwał mi portmonetkę
sb jumped out at/ran into - ktoś wyskoczył/wpadł na...
break into/burgle sth - włamać się do czegoś

Jak to działa?

PAST CONTINUOUS

Czasu **Past Continuous** używamy, by opisać **czynność w przeszłości**, kiedy chcemy **podkreślić czas jej trwania**:

*We **were travelling** together.* (Razem **podróżowaliśmy**.)
*I **was watching** videos.* (**Oglądałem** filmy na wideo.)

Często wykorzystujemy czas Past Continuous, by opisać tło dla innych wydarzeń:

*I **was coming out** of the bank **when** suddenly a man **snatched my handbag**.* (**Wychodziłem** z banku, **kiedy** raptem mężczyzna **wyrwał** mi torebkę.)
*I **put** the bag **down** on the seat **when** I **was zipping** up my rucksack.* (**Położyłam** torebkę na siedzeniu, **kiedy zapinałam** plecak.)

W czasie **Past Continuous** używamy operatora **be** w formie **was/were** i czasownika głównego z końcówką **-ing**.

Strona bierna: różne czasy gramatyczne, przyimek *by*

Strony biernej używamy w różnych konstrukcjach gramatycznych z odpowiednio przekształconym operatorem **be** np.:

- bezokolicznik: be/to be
  It's most likely ***to be handed in.*** (Najprawdopodobniej ktoś ją zwróci.)
- Present Perfect Simple: has/have been
  I doubt ***it's been stolen.*** (Wątpię, żeby została ukradziona.)
- czasowniki modalne np.: will be
  You'll be contacted *if it turns up.* (Skontaktujemy się, jeśli się odnajdzie.)

Kiedy chcemy wskazać wykonawcę czynności, używamy przyimka **by**:

It's most likely to be handed in ***by someone.***
(Najprawdopodobniej **ktoś** ją zwróci.)
Romeo and Juliet was written ***by Shakespeare.*** (Sztuka „Romeo i Julia" została napisana **przez Szekspira**.)

Wyrazy wskazujące: a/an

Przedimek **a** jest bardzo często używanym wyrazem, który, podobnie jak **the** i **zaimki dzierżawcze**, rzadko tłumaczy się na język polski:

I'll need ***a receipt.*** (Będę potrzebowała **pokwitowania**.)
We need ***a description*** *of the bag.* (Potrzebujemy **opisu** torebki.)
My address book - it's ***a*** *kind of bluish green* ***colour.*** (Notes z adresami - **taki** w **kolorze** niebieskawo-zielonym.)

A używamy z rzeczownikami policzalnymi w liczbie pojedynczej:

It's one of those bags you wear around the waist, ***a bumbag.***
(To jest jedna z takich torebek, które się nosi wokół pasa, **saszetka**.)
a *£50* ***note*** (**banknot** 50-funtowy)

A używamy m.in. po to, by zaznaczyć, że wprowadzamy do opisu lub wypowiedzi jakiś nowy element:

I want to report ***a lost bag.*** (Chciałam zgłosić **zagubioną torebkę**.)

Kiedy ponownie wspominamy daną, rzecz używamy **the**:

Now, could you describe ***the bag***? (Czy mogłabyś opisać **torebkę**?) - tę, którą zgubiłaś.

A jest częścią wielu zwrotów, które określają ilość:

a bit *worn* (**trochę** wytarta)

a lot of *people* (**dużo** ludzi)

A używamy także z niektórymi pomiarami i w opisie cen:

30 miles ***an hour*** (30 mil **na godzinę**)

50 pence ***a kilo*** (50 pensów **za kilogram**)

Zwykle używamy **a** zamiast **one** (jeden):

A *tea and two coffees.* (**Jedną** herbatę i 2 kawy.)

It lasted ***an*** *hour.* (Trwało **jedną** godzinę.)

a *hundred* (sto)

a *thousand* (tysiąc)

a *million* (milion)

Przed dźwiękami samogłoskowymi używamy **an**:

an *apple* (jabłko), ***an*** *orange* (pomarańcza)

It's ***an*** *honour.* (To zaszczyt.)

ćwiczenia

1. Ułóż wypowiedzi w sensowne dialogi.

Dialog 1

On the phone...

..... **a.** *Is this the police station?*

..... **b.** *Please give your name and address.*

..... **c.** *The Police please. I've been burgled.*

..1.. **d.** *Which service do you require?*
..... **e.** *Anna Kowalska. That's K O W A L S K A, no. 3 Park Rd W16.*
..... **f.** *The officer in charge speaking.*
..... **g.** *Please hold the line. I'm putting you through now.*

Dialog 2
On the street...
..... **a.** *I was coming out of the bank over there when a man just snatched my bag and ran off.*
..... **b.** *All my money and passport.*
..1.. **c.** *Excuse me officer, I've just been mugged.*
..... **d.** *You had best come to the Police Station with me.*
..... **e.** *Where did it happen?*
..... **f.** *What did you have in it?*

2. Uzupełnij opis. Dopasuj i wstaw czasowniki z ramki w odpowiedniej formie czasu Past Continuous.

drink read sit start try

Quite a few people .... in the square. Most .... their morning coffee at the café opposite the hotel. One man .... to order a very late breakfast. Another .... a book. The two women at the table next to him .... to get up and go back to the hotel.

3. Uzupełnij luki czasownikami z ramki w odpowiedniej formie czasu przeszłego – Past Simple lub Past Continuous.

look (x3) sit turn do drive run jump

We .... down the road when suddenly a man

.... out at us. We ....

an emergency stop and simply .... there.

We .... at him and he .... at us.

Just then another car .... into the road and

almost .... into us. When we

.... up again the man had gone.

4. Przekształć wypowiedzi na odpowiednią formę strony biernej.

1. *Shakespeare wrote Hamlet.* ....

2. *Someone's stolen my rucksack.* ....

3. *Someone will contact you.* ....

4. *A Mr. Smith handed it in.* ....

5. *The man's given it to Harry.* ....

5. Wstaw **a** lub **an** w odpowiednim miejscu.

1. *I have only little time left.*
2. *I gave them description.*
3. *I'd like tea and coffee.*
4. *It's kind of greenish colour.*

5. *Do you want apple or orange?*
6. *There were lot of people there.*
7. *It was honour to be invited.*
8. *The chances are million to one.*
9. *It's hour by train.*
10. *The potatoes are only 10p kilo.*

 **6.** Uzupełnij luki w tekście. Wstaw **a/an** lub **the**.

1. *It was .... beautiful day, ... day we went to ....*
2. *seaside. We got on .... train standing at platform 10.*
3. *....... man and .... woman came and sat down next to us.*
4. *....... man's name was Smith and so was .... woman's.*
5. *We thought they were married. Suddenly .... phone*
6. *began to ring. It was .... man's mobile. Then another*
7. *phone rang. It was .... woman's mobile. .... man was*
8. *talking to .... woman, it was his wife and .... woman*
9. *was talking to .... man, it was her husband. It wasn't*
10. *until .... ticket collector came that we found we*
11. *were on .... wrong train.*

„Love"

W pewnych „pół formalnych" sytuacjach – sprzedawca np. na rynku/bazarze, w małym miejscowym sklepiku, w pubie może się zwrócić do klientki czy dziecka „love". W każdym przypadku są to ludzie o pewnej, bądź ograniczonej, władzy – właściciel straganu, sklepiku, pubu – którzy mają częsty kontakt ze swoimi klientami. Policjant zwracając się do Anii *Where did you lose it, love?* (Gdzie ją zgubiłaś, kochanie?) traktuje ją przyjaźnie, jako klientkę i podopieczną, współczując jej w niemiłej sytuacji.

Klucz do ćwiczeń

1. 1d, c, b, e, g, a, f; 2c, e, a, f, b, d **2.** 1. were sitting 2. were drinking 3. was trying 4. was reading 5. were starting **3.** 1. were driving 2. jumped 3. did 4. sat 5. were looking 6. was looking 7. turned 8. ran 9. looked **4.** 1. Hamlet was written by Shakespeare. 2. My rucksack's been stolen. 3. You'll be contacted. 4. It was handed in by a Mr. Smith. 5. It's been given to Harry. **5.** 1. a little 2. a description 3. a tea, a coffee 4. a kind of 5. an apple, an orange 6. a lot of 7. an honour 8. a million 9. an hour 10. a kilo **6.** 1. a, the, the 2. the 3. A, a 4.The, the 5. a 6. the 7. the, The 8. a, the 9. a, 10. the 11. the

18. **Sprawdź się!**

34 **1.** **Rozumienie ze słuchu** Po wysłuchaniu dialogów zdecyduj, które zdania są prawdziwe (True – T), a które fałszywe (False – F).

Dialog 1

1. *Dave answered the phone.* ☐
2. *Ania asked Dave to call her.* ☐
3. *David will call Ania now.* ☐

Dialog 2

1. *There's a man next to Dave.* ☐
2. *The woman is in advertising.* ☐
3. *The lawyer is a woman.* ☐

Dialog 3

1. *Harry has asked Dave to go to the pub.* ☐
2. *Harry doesn't have any money.* ☐
3. *Dave says he'll pay.* ☐

Dialog 4

1. *Ania buys 3 tickets.* ☐
2. *They're returning the same day.* ☐
3. *The next train is at 10.30.* ☐

Dialog 5

1. *Ania was in a bank.* ☐
2. *Ania had all her money stolen.* ☐
3. *A woman stole Ania's bag.* ☐

2. **Test** Wybierz właściwą odpowiedź.

1. *They live .... number 9 Green St.*
a. *on* ***b.*** *in* ***c.*** *at* ***d.*** *by*

2. *Have you ...... been to London?*
a. *never* ***b.*** *sometimes*
c. *generally* ***d.*** *ever*

3. *She .... down the street when a man jumped out at her.*
a. *walked* ***b.*** *is walking*
c. *was walking* ***d.*** *walks*

4. *How are you? Not too bad, and ...?*
a. *himself* ***b.*** *yourself*
c. *myself* ***d.*** *ourselves*

5. *It costs much .... I thought.*
a. *less than* ***b.*** *as less as*
c. *less then* ***d.*** *less as*

6. *Ania and I need a break, ...?*
a. *could you* ***b.*** *don't we*
c. *haven't we* ***d.*** *isn't it*

7. *Pan Tadeusz .... Adam Mickiewicz.*
a. *wrote* ***b.*** *written*
c. *was written by*
d. *was written*

8. *Have you got the ...., please?*
a. time *b. clock*
c. second *d. hour*

9. *Has there been any news .... ?*
a. yet *b. either*
c. just *d. also*

10. *We drove .... their house on the way to the station.*
a. like *b. in* *c. by* *d. –*

11. *Ania said she'd come. She .... be here soon.*
a. must *b. should*
c. would *d. can*

12. *I need the .... as soon as possible.*
a. informations *b. information*
c. informationes *d. informationies*

13. *And you're never late, ...?*
a. I suppose *b. I guess*
c. you mean *d. you know*

14. *I .... go now or I'll miss the last train.*
a. must *b. can't*
c. need *d. have to*

15. *I only have .... £50 note.*
a. the *b. an* *c. one* *d. a*

3. Krzyżówka

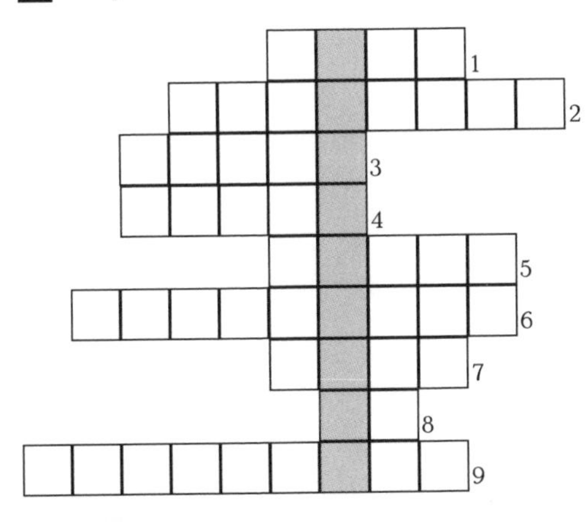

1. *Więcej niż jedna stopa.*
2. *Zwykły, normalny.*
3. *left or ....*
4. *Synonim perhaps.*
5. *Źle.*
6. *Nienormowany czas pracy.*
7. *Wykonywać.*
8. *The person ..... charge.*
9. *In an ..... phone 999.*

Klucz do ćwiczeń

1. Rozumienie ze słuchu. dialog **1** F, T, F; dialog **2** T, F, T; dialog **3** F, T, T; dialog **4** T, T, F; dialog **5** F, T, F **2. Test.** 1–c 2–d 3–c 4–b 5–a 6–b 7–c 8–a 9–a 10–c 11–b 12–b 13–a 14–d 15–d **3. Krzyżówka.** hasło: entertain (feet, standard, right, maybe, wrong, flexitime, make, in, emergency)

19. The Sporting Life

DAVE: - Sorry to hear about the bag, Ania.
ANIA: - And I'm sorry I'm not exactly in the best of moods.
HARRY: - We'll have to do our best to cheer her up Dave.
DAVE: - Let's go for a bite to eat and decide what to do next. There's a pub near the boat rental place that does an excellent ploughman's lunch...

ANIA: - The canal's really quite beautiful here, isn't it?
DAVE: - Yes, the Oxford Canal, at least this end of it, is still pretty much the same as when it was first built.
HARRY: - It winds around the countryside following the shape of the land. The northern part was straightened, wasn't it?
DAVE: - That's right, when they built the Grand Union. The canals were the major transport route for coal between London and the north. Now they're tourist attractions.
HARRY: - And popular especially for narrowboat holidays.
ANIA: - You keep talking about narrowboats - what are they?
DAVE: - Exactly that: narrow boats. No more than 7ft wide - the width of a canal, and up to 70ft long - the length of a lock.
ANIA: - In Poland, people go canoeing and sailing's very popular. So is windsurfing on the lakes in the north east.
HARRY: - Here, it's the Lake District for sailing and water sports.
DAVE: - Not only. You can go scuba diving around Lundy Island in the Bristol Channel - it's Britain's only Marine Nature Reserve - and go treasure hunting amongst the shipwrecks.
ANIA: - (SMS) Ooh! My bag's been handed in!

Słownictwo

sorry to hear about - przykro mi to słyszeć
not in the best of moods - w nie najlepszym humorze
do your best to... - robić wszystko, by...
cheer sb up - pocieszyć kogoś
a ploughman's lunch - wiejskie jedzenie
this end of it - ta część
pretty much the same - w zasadzie takie samo

it winds around - wije się wokół
the countryside - krajobraz wiejski
the shape of the land - ukształtowanie terenu
the northern part - część północna
straighten - wyprostować
the major transport route - główna trasa przewozu
coal - węgiel
tourist attractions - atrakcje turystyczne
keep talking about sth - ciągle mówić o czymś
7ft wide/70ft long - 7 stóp szerokości/70 stóp długości
the width/length of sth - szerokość/długość czegoś
canoeing/sailing - kajakarstwo/żeglarstwo
on the lakes - na jeziorach
water sports - sporty wodne
scuba diving - nurkowanie z aparatem tlenowym
Marine Nature Reserve - rezerwat przyrody morskiej
treasure hunting - poszukiwanie skarbów
among/amongst the shipwrecks - pośród wraków statków

Tłumaczenie

Sportowe życie. **D**: Przykro mi z powodu tej twojej torebki, Aniu. **A**: A ja przepraszam, że jestem w nie najlepszym humorze. **H**: Będziemy musieli zrobić wszystko, by ją rozruszać, Dave. **D**: Chodźmy coś przegryźć i zdecydować, co robić dalej. Jest taki pub niedaleko przystani, gdzie dają doskonałe wiejskie jedzenie... **A**: Kanał jest naprawdę piękny w tym miejscu? **D**: Tak, Kanał Oksfordzki, a przynajmniej ta jego część, jest ciągle w zasadzie taki sam jaki był, kiedy go zbudowano. **H**: Kanał wije się zgodnie z ukształtowaniem terenu. A północną część wyprostowano. **D**: Tak jest, kiedy zbudowali kanał Grand Union. Kanały były główną trasą przewozu węgla między Londynem a północą. Teraz to atrakcje turystyczne. **H**: Popularne wakacje, zwłaszcza na łódkach. **A**: Ciągle mówicie o tych „narrowboats" - co to właściwie jest? **D**: Jak sama nazwa wskazuje: po prostu wąskie łódki. Nie więcej niż 7 stóp szerokości - szerokość kanału, i 70 stóp długości - długość śluzy. **A**: W Polsce ludzie jeżdżą na spływy kajakowe i żeglowanie jest bardzo popularne. No i windsurfing na jeziorach na północnym wschodzie. **H**: Tutaj jeździ się do Lake District, pożeglować i na inne sporty wodne. **D**: Nie tylko. Można nurkować wokół wyspy Lundy w Kanale Bristolskim - to jest jedyny brytyjski rezerwat przyrody morskiej - i szukać skarbów pośród wraków statków. **A**: (SMS) O! Ktoś oddał moją torebkę!

Więcej słówek i zwrotów

She's really keen on sport. - Naprawdę lubi sport.
He does a lot of sport. - Uprawia dużo sportu.
He's a talented player. - Jest utalentowanym graczem.
play on a team/in a match - grać w drużynie/w meczu
throw/catch the ball - rzucić/złapać piłkę
kick/pass the ball - kopnąć/podać piłkę
What a brilliant save/shot! - Świetna obrona/strzał!
Poland beat/lost to... - Polska pokonała/przegrała z...
They're leading by two goals. - Prowadzą 2 golami.
draw three-all/score a goal - zremisować 3-3/strzelić gola
They lost/'re down two-nil. - Przegrali/Przegrywają 2 do 0.
win the race/cup/final - wygrać wyścig/puchar/finał
He came first/last. - Był pierwszy/ostatni.

Jak to działa?

Wyrazy: which, who, what, itp.

Podobnie jak w jęz. pol., wyrazów **which**, **who**, **what**, itd. używamy nie tylko do tworzenia pytań, ale także do uzupełniania informacji:

The northern part was straightened, ***when*** *they built the Grand Union.* (Północną część wyprostowano, **kiedy** zbudowali kanał Grand Union.)

W takich zdaniach, w odróżnieniu od zwykłych pytań, **nie stosujemy szyku przestawnego** – porównaj:

I know ***whose*** *ball* ***this is.*** (Wiem, **czyja** to piłka.)
Whose *ball* ***is this?*** (**Czyja** to piłka?)
Let's go for a bite to eat and decide ***what we're doing*** *next.* (Chodźmy coś przegryźć i zdecydować, **co** robimy dalej.)
What are we *doing?* (No to **co** teraz robimy?)

Who (kto – w odniesieniu tylko do ludzi) i **which** (który – w odniesieniu tylko do rzeczy) mogą zastąpić podmiot:

*There's a pub near the boat rental place **which does** excellent food.* (Jest pub niedaleko przystani, **który** robi doskonałe jedzenie.)

Inaczej niż przed polskimi „że" lub „który/która/które/kto" itp., przed **which/who** nie zawsze stawiamy przecinek:

*The northern part was straightened **when** they built the Grand Union, **which** became the major transport route for coal.* (Północną część wyprostowano, **kiedy** zbudowali kanał Grand Union, **który** stał się główna trasą przewozu węgla.)

Tworzenie wyrazów: końcówka -ing

Wyrazów z końcówką -ing możemy używać jako:

- czasowników:
  *I'**m going** to a football match.* (**Idę** na mecz piłki nożnej.)
- przymiotników:
  *Lundy Island is an **interesting/boring** place.* (Wyspa Lundy jest **interesującym/nudnym** miejscem.)
- rzeczowników:
  ***Sailing** is very popular and so is windsurfing.* (**Żeglowanie** jest bardzo popularne, a także windsurfing.)

Forma **-ing** często pojawia się w połączeniu z czasownikiem **go**:

*In Poland, people **go canoeing**.* (W Polsce ludzie jeżdżą na spływy kajakowe.)
You can ***go scuba diving*** around Lundy Island and ***go treasure hunting*** among the shipwrecks. (Można nurkować wokół wyspy Lundy i poszukiwać skarbów pośród wraków statków.)
Let's ***go swimming***. (Chodźmy na pływalnię/popływać.)
We'***re going shopping***. (Idziemy na zakupy.)

Szyk wyrazów w zdaniu: to

Za pomocą **to** możemy łączyć dwa czasowniki. Tłumaczymy **to** jako **żeby** lub jako **bezokolicznik** w zdaniach opisujących cel:

Do *your best* ***to cheer*** *her up.* (Zrób wszystko, **żeby** ją rozweselić.)
Let's ***go*** *for a bite* ***to eat.*** (Chodźmy, **żeby** coś przegryźć.)
We ***went to get*** *some pizza.* (Poszliśmy **kupić** pizzę.)

ćwiczenia

1. Dopasuj pytania a-e do zdań 1-5, aby utworzyć dwa sensowne dialogi.

He's really keen on water sports.

1. ....

What doesn't he do, you mean? Last time it was sailing.

2. ....

Scuba diving - 2 weeks in the Atlantic Ocean.

3. ....

To a football match.

4. ....

Mike, he does a lot of sport, especially football.

5. ....

He's a really talented player, the best on the team.

a. *Is he any good?*

b. *What does he do?*

c. *Who's playing?*

d. *Where are you off to?*

e. *What's it to be this time?*

 **2.** Uzupełnij luki. Wstaw czasowniki z ramki.

beat	**got (x2)**	**left**	**passed**	**scored**
was	**passed**	**were**	**were down**	

How was the match?

They .... two-nil. And then there was this brilliant save and the ball .... to Mike and he .... a goal. Two minutes later he .... another goal. It was a really good shot. They .... two-all with only five minutes of the match .... In the last sixty seconds Mike got the ball again, ... it to another player who .... the final goal just at the very end. They .... them three-two.

3. Dopasuj fragmenty a-f do 1-6, aby utworzyć sensowne wypowiedzi.

1. *There's a pub by the canal that...*

2. *The house looks pretty much the same as when...*

3. *I wonder where...*

4. *Do you know who...*

5. *I think I know whose...*

6. *I'm not sure what...*

a. *...car this is.*

b. *...Harry's gone.*

c. *...it was first built.*

d. *...I should do now.*

e. *...does excellent lunches.*

f. *...handed my bag in?*

4. Popraw błędy. Dodaj końcówkę **-ing** do odpowiedniego wyrazu.

1. *She's go home.*

2. *We're all have a wonderful time.*

3. *This is your Captain speak.*

4. *I'm go sailing tomorrow.*

5. *This really is a bore place.*

6. *Go dive is one of my favourite things.*

7. *They're going shop in the afternoon.*

8. *I don't like say goodbye.*

9. *Job hunt isn't easy.*

5. Wstaw **to** w odpowiednim miejscu.

1. *We'll do our best finish the job.*
2. *I haven't decided what do yet.*
3. *He's flying save time.*
4. *Do I have time have a coffee?*
5. *He's too old go to a disco.*
6. *I'm here see the match.*
7. *They've gone buy something eat.*

Weights and Measurements

(miary, wagi i długości)

Do 2009 r. Wlk. Brytania ma przejść na system metryczny. Jedynie napisy na ulicach mają pozostać w *miles* (mila – 1,609 km), *yards* (1 jard – *3 feet* – stopy), *feet* (1 stopa – *foot* – *12 inches*) i *inches* (1 cal – ok. 2,5 cm). Ciągle są w sprzedaży linijki, które wzdłuż jednej strony są oznaczone calami, a wzdłuż drugiej centymetrami.

Jeśli chodzi o wagę, to mamy *stone* („kamień" – *14lb/pounds*), *pound* (funt – *16oz/ounces*) i *ounce* (uncja). *Kilogram/kg* to około 2.2 lb (2,2 funty). Waga człowieka jest ciągle przez Anglików najczęściej określana w *stones* i *pounds* np. *I weigh 9 stone 8lb.* (Ważę 60 kg.)

Klucz do ćwiczeń

1. 1b 2e 3d 4c 5a **2.** 1. were down 2. was passed 3. got 4. got 5. were 6. left 7. passed 8. scored 9. beat **3.** 1e 2c 3b 4f 5a 6d **4.** 1. going 2. having 3. speaking 4. going 5. boring 6. going/diving 7. shopping 8. saying 9. hunting **5.** 1. to finish 2. to do 3. to save 4. time to have 5. to go 6. to see 7. to buy/to eat

20. Family Ties

HARRY: – So, have you enjoyed yourself?
ANIA: – Yes. I've had a wonderful time. It's a pity it's over.
HARRY: – London in an hour and then back to reality. My interview's at 10.00. And I have another on Thursday. What time's yours?
ANIA: – Mine's at 11.00. And it's the only one. But I don't really want to be thinking about all that yet.
HARRY: – Ok, so, let's plan another weekend trip.
ANIA: – I know that look. What have you got in mind?
HARRY: – How about going to Rye? It's a historic little town with old Tudor houses, cobbled streets... I'll show you a photo.
ANIA: – What's the catch? There has to be one.
HARRY: – We'd be staying with my parents?
ANIA: – Ah... a family weekend?
HARRY: – Sort of... Oh, yes. My parents have been nagging me to come down and I haven't seen my sister for ages...
ANIA: – Are you sure you really want me there?
HARRY: – Yes, I'd have a good excuse to escape if things got too much. Think of it as helping out a friend?
ANIA: – What would you expect from me exactly if I go?
HARRY: – I'm the only one that's not, what they call "settled" yet. Your presence would ease the nagging.
ANIA: – So, I'm to defend you from your parents, sister and brother?
HARRY: – Sister no. Brother, his other half and in-laws, definitely.
ANIA: – That's asking a lot. What will I get in return...?

Słownictwo

tie – wiązać
it's a pity it's over – szkoda, że to już koniec
in an hour – za godzinę
back to reality – „powrót na ziemię"
interview – rozmowa kwalifikacyjna
a weekend trip – wypad na weekend
I know that look – znam to spojrzenie
What have you got in mind? – Co masz na myśli?
a historic little town – zabytkowe miasteczko

old Tudor house - dom z czasów Tudorów
cobbled streets - brukowane uliczki
What's the catch? - Gdzie haczyk?
my parents have been nagging me - rodzice nie dają mi spokoju
a family weekend - weekend z rodziną
sort of - tak jakby
come down - odwiedzić
for ages - przez wieki (tu w znaczeniu: od dawna, od wieków)
a good excuse to escape - dobra wymówka, by uciec
if things get too much - jeśli zrobi się za ciężko
think of it as... - traktować jak...
expect from - oczekiwać od
settled - ustatkowany
your presence would ease... - twoja obecność złagodziłaby...
defend sb from - obronić kogoś przed
his other half and in-laws - jego „druga połowa" i teściowie
definitely - zdecydowanie
that's asking a lot - masz duże wymagania
get in return - dostać w zamian

Tłumaczenie

Rodzina, ach rodzina. **H:** No to co, dobrze sie bawiłaś? **A:** Tak. Było cudownie. Szkoda, że już się skończyło. **H:** Za godzinę będziemy w Londynie i wtedy powrót na ziemię. Mam rozmowę w sprawie pracy o 10.00. I jeszcze jedną w czwartek. O której jest twoja? **A:** O 11.00. I tylko ta jedyna. Ale tak naprawdę to nie chcę jeszcze o tym myśleć. **H:** Więc zaplanujmy jeszcze jeden wypad na weekend. **A:** Znam ten wyraz twarzy. Co masz na myśli? **H:** Co sądzisz o wycieczce do Rye? To jest miasteczko z długą historią, starymi domami z czasów Tudorów, brukowanymi uliczkami... pokażę ci zdjęcie. **A:** Gdzie haczyk? Musi być jakiś. **H:** Zatrzymamy się u moich rodziców. **A:** O... weekend z rodziną? **H:** Tak jakby... no, tak. Rodzice nie dają mi spokoju, muszę ich odwiedzić i nie widziałem się z siostrą od wieków... **A:** Na pewno chcesz, żebym ja tam pojechała? **H:** Tak, miałbym dobrą wymówkę, by uciec, jeśli zrobi się zbyt ciężko. Traktuj to jako pomoc dla przyjaciela. **A:** Czego byś ode mnie dokładnie oczekiwał, jeśli pojadę? **H:** Jestem jedyny, który nie jest, jak to mówią, jeszcze ustatkowany. Twoja obecność złagodziłaby gadanie. **A:** Więc mam cię bronić przed rodzicami, siostrą i bratem? **H:** Przed siostrą nie. Bratem, jego drugą połową i teściami, zdecydowanie. **A:** Masz duże wymagania. Co dostanę w zamian...?

Więcej słówek i zwrotów

an only child - jedynak
my youngest/eldest - mój najmłodszy/najstarszy
be engaged - być zaręczonym
be married/unmarried - być żonatym/kawalerem
remarry - ponownie się ożenić
divorce/be separated - rozwieść się/być w separacji
a widow/widower - wdowa/wdowiec
be in a serious relationship - chodzić z kimś na poważnie
live together - mieszkać razem
have a lot in common - mieć wiele wspólnego
become close friends - stawać się bliskimi przyjacielami
a single parent - rodzic samotnie wychowujący dziecko
There are three in our family. - Jesteśmy 3-osobową rodziną.

Jak to działa?

Zaimki dzierżawcze: mine, yours

Zaimki dzierżawcze mają **dwie formy**:

my	***mine***	(mój)	*our*	***ours***	(nasz)
your	***yours***	(twój, wasz, pański)			
her	***hers***	(jej)	*their*	***theirs***	(ich)
his	***his***	(jego)			
its	***its***	(swój)			

Form **my**, **your**, **our** itd., używamy **wraz z rzeczownikiem**:

My interview*'s at 10.00.* (Moja rozmowa jest o 10.00.)

Form **mine**, **yours**, **hers** itd., używamy **zamiast rzeczownika**:

What time's ***yours****?* (O której jest twoja?)
Mine*'s at 11.00.* (Moja jest o 11.00.)

Zaimek: one

Wyraz **one** także zastępuje rzeczowniki:

Mine's at 11.00. And it's the only ***one.*** (Moja jest o 11.00. I to **jedyna.**)
What's the catch? There has to be ***one.*** (Gdzie haczyk? **Jakiś** musi być.)

Wyrażenia modalne: would

W języku potocznym **would** używamy w niektórych zdaniach z wyrazem **if** w połączeniu z czasem teraźniejszym:

I'd *have a good excuse to escape* ***if things get*** *too much.* (Miałbym dobrą wymówkę, by uciec, jeśli zrobi się zbyt ciężko.)
What ***would*** *you expect from me* ***if I go****?* (Czego byś ode mnie oczekiwał, jeśli pojadę?)

Przedrostki i przyrostki: rodzina

step-child/son/daughter/father... (pasierb/-ica/ojczym...)
half-brother/sister (brat/siostra przyrodnia)
great-grandfather... (pradziadek...)
great great great-grandmother... (prapraprababcia...)
ex-wife/husband/girlfriend (była żona/mąż/dziewczyna...)
father/sister/son-in-law... (teść/szwagierka/zięć...)

O byłych partnerach można mówić:

My ***ex*** *has married again.* (Mój **były** ponownie się ożenił.)

A o teściach:

The ***in-laws*** *are coming.* (**Teściowie** przyjeżdżają.)

ćwiczenia

1. Dopasuj pytania a-f do zdań 1-6, aby utworzyć dwa sensowne dialogi.

Did you hear about Harry?
1. ....
His girlfriend left him. She went back to Poland.
2. ....
What do you mean?
3. ....

Harry and Ania have a lot in common, don't they?
4. ....
I think it's more than that.
5. ....
It looks as if it's becoming a serious relationship.
6. ....
I hope so.

a. *You shouldn't listen to gossip.*
b. *Do you think it will last?*
c. *Do you?*
d. *She's coming back to live here.*
e. *Yes, they've become very close friends.*
f. *No, what's the matter?*

2. Wstaw odpowiednie formy czasowników **be ('m, 's, are)** i **have ('s, 've)** do tekstu.

What's your family like?
1. *There five in our family and we all get on quite well.*
2. *Both my parents work and my sister in her last*
3. *year at university doing an MA course. She twenty-three and*
4. *she the eldest. My younger brother eighteen. He gone to*
5. *the USA. He decided to work for a year before*
6. *going on to university. I twenty-one and I just done my BA.*

3. Uzupełnij luki w dialogu odpowiednim zaimkiem tak, by utworzyć sensowny dialog:

A. *Is this ....?*
B. *No, it's .... This ....'s .... And that ....'s ....*

4. Dopasuj tłumaczenia 1-9 do zwrotów a-i.

Are these family photographs?
*Yes, this is my .... (**1.** prababka) with her third .... (**2.** mąż). She .... (**3.** wyszła za mąż) three times. She .... (**4.** rozwiodła się) her first husband. That's her .... (**5.** pasierb). Oh and this is a photograph of her .... (**6.** byłego). He was .... (**7.** jedynakiem). They remained close friends. She got on really well with his .... (**8.** rodzicami) her .... (**9.** teściowie).*

a. *ex* **d.** *in-laws* **g.** *got married*
b. *parents* **e.** *an only child* **h.** *step-son*
c. *husband* **f.** *great-grandmother* **i.** *divorced*

„Town" a „City"

Odpowiednikiem polskiego słowa „miasto" jest zazwyczaj angielskie *town*. Natomiast słowa *city* używamy na określenie stolic i innych dużych miast. Historycznie miano *city* przysługiwało miastom, które miały katedrę i otrzymały odpowiedni statut *(charter)* od rodziny królewskiej.

Klucz do ćwiczeń

1. 1f 2a 3d 4e 5c 6b **2.** 1. There are, 2. sister's, 3. She's 4. she's/brother's/He's, 5. He's, 6. I'm/ I've
3. A: yours B: his/hers, one, mine, one, hers/his **4.** 1f 2c 3g 4i 5h 6a 7e 8b 9d

21. The Visit

FATHER: – Harry, why don't you show Ania the house?
HARRY: – The grand tour. The garden too?
FATHER: – Save the garden for later...

ANIA: – Your parents are great. I've had no defending to do so far.
HARRY: – You haven't had the pleasure of meeting my sister-in-law as yet. Let's take your things upstairs to the guest room. It has a great view of Romney Marshes and the river.
ANIA: – The view is really beautiful.
HARRY: – Makes up for the low ceilings and cramped rooms.
ANIA: – Harry, you really do like this place, don't you?
HARRY: – Love it actually. Not surprising that most of my family have moved back to the area to set up home, is it?
ANIA: – I can certainly see why.
HARRY: – The parents have kept as much of the original house as possible, so the rooms upstairs are on the small side. Most of the houses in Rye are, in fact, listed buildings.
ANIA: – It's a bit like walking through history, isn't it?
HARRY: – Yes, it is. Sometimes a little bit too sweet, but beautiful.
FATHER: – Harry, Ania, do come downstairs. Tea's ready.
HARRY: – One of my mother's cream teas on the patio, I hope...

FATHER: – Well Ania, Harry tells me you're trying for a grant?
ANIA: – That's right. I've just finished my English degree and now I'm looking for ways to develop it further.
FATHER: – Do you have any special interests?
ANIA: – I'm hoping to do something involving art...

Słownictwo

the grand tour – wielki pokaz
save the garden for later – zostaw ogród na później
have the pleasure – mieć przyjemność
sister-in-law – bratowa/szwagierka
upstairs/downstairs – na górze/na dole
the guest room – pokój gościnny

make up for sth - wynagrodzić
low ceilings - niskie sufity
cramped - ciasny
not surprising - nic dziwnego
move back - z powrotem się przeprowadzić
area - okolica
set up home - założyć dom/rodzinę
on the small side - dość mały
in fact - zresztą/w zasadzie
listed buildings - obiekty zabytkowe
cream tea - podwieczorek
(Harry) tells me... - (od Harry'ego) słyszałem...
finish a degree - ukończyć studia
look for - szukać
ways to develop sth - sposoby rozwijania czegoś
further - bardziej/dalej
something involving art - coś, co ma związek ze sztuką

Tłumaczenie

Wizyta. **F**: Harry, może byś Ani pokazał dom? **H**: Oho, wielki obchód. Ogród też? **F**: Zostaw ogród na później... ■ **A**: Twoi rodzice są wspaniali. Jak dotychczas wcale nie musiałam cię bronić. **H**: Jeszcze nie miałaś przyjemności spotkać się z moją szwagierką. Zanieśmy twoje rzeczy na górę do pokoju gościnnego. Ma wspaniały widok na moczary Romney i rzekę. **A**: Widok jest rzeczywiście piękny. **H**: Wynagradza niskie sufity i ciasne pokoje... **A**: Harry, ty naprawdę bardzo lubisz to miejsce. **H**: Uwielbiam! Nic dziwnego, że większość rodziny z powrotem się przeprowadziła do tej okolicy, by założyć domy i rodziny. **A**: Rzeczywiście, rozumiem dlaczego. **H**: Rodzice zachowali tyle, ile mogli z oryginalnego domu, dlatego pokoje na górze są trochę małe. Zresztą, większość domów w Rye to zabytki. **A**: To trochę jak podróż w przeszłość, prawda? **H**: Tak jest. Czasem zbyt cukierkowe, ale piękne. **F**: Harry, Ania, zapraszam na dół. Podwieczorek gotowy. **H**: Jeden z podwieczorków matki na patio... ■ **F**: Aniu, Harry mówi, że starasz się o stypendium? **A**: To prawda. Zrobiłam dyplom z jęz. ang., a teraz szukam sposobów, by dalej to rozwinąć. **F**: Czy masz jakieś szczególne zainteresowania? **A**: Mam nadzieję robić coś związanego ze sztuką...

Więcej słówek i zwrotów

the humanities - przedmioty humanistyczne
the sciences - nauki ścisłe
the classics (Latin, Greek, Ancient History) - łacina, greka, historia starożytna
a three-year-course - 3-letni kurs/studia
a degree/vocational/special course - studia magisterskie/zawodowe

sit, take/pass/fail an exam - przystąpić do/zdać/oblać egzamin
stay on - zostać/kontynuować (w tej samej szkole)
get in - dostać się na (studia)/do (szkoły)
apply to a... - złożyć papiery do...
specialise in... - specjalizować się w...
undergraduate/graduate/postgraduate - student/absolwent/ magistrant
the school/academic year - rok szkolny/akademicki
term/semester/half-term - okres/semestr/przerwa w połowie semestru

Jak to działa?

Przysłówki: as yet, so far, recently, already, just

Ze względu na ich znaczenie, zwrotów przysłówkowych **as yet**, **so far** dość często używamy z czasami Perfect:

You haven't had the pleasure of meeting my sister-in-law ***as yet.*** (**Jeszcze nie** miałaś przyjemności poznania mojej szwagierki.)
I've had no defending to do ***so far.*** (**Jak dotąd** wcale nie musiałam cię bronić.)

Pobobnie bywa z **recently**, **just**, **already**, które wskazują wydarzenia w stosunkowo niedawnej przeszłości:

I've been away ***recently.*** (Wyjeżdżałem **ostatnio.**)
I've ***just*** *finished my English degree.* (**Właśnie** zrobiłam dyplom z jęz. ang.)
I've ***already*** *been.* (**Już** byłam.)

Przysłówek: too

Too w znaczeniu **„też"** używamy najczęściej na końcu zdania:

He came ***too.*** (On **też** przyszedł.)
Shall I show her the garden ***too?*** (Czy mam jej pokazać **też/również** ogród?)

Too w znaczeniu **„zbyt"** używamy:

- przed przymiotnikiem lub przysłówkiem:
  Sometimes a little ***too sweet,*** *but beautiful.* (Czasem **zbyt słodziutko,** ale pięknie.)
  too easy/hard (zbyt łatwe/ciężkie)
  too early/late (za wcześnie/późno)
  too small (za mały) *too long* (za długi)
  too little (za mało) *too low* (za niski)
- w połączeniu z **for**:
  He's ***too old for*** *her.* (On jest **za stary dla** niej.)
- przed przymiotnikami i przysłówkami w połączeniu z **to** i bezokolicznikiem:
  It's ***too far to walk.*** (Jest za daleko, by iść pieszo.)
- z wyrazami **much**, **many**, **little** i **few**:
  He's eaten far ***too much.*** (Zjadł o wiele **za dużo.**)
  He's done it ***too many times.*** (**Zbyt wiele razy** to zrobił.)

Najczęstsze zwroty z too:

too bad (szkoda) *me, too* (ja też)
all/only too true (niestety, to prawda)
too good to be true (to nie może być prawdą)

Wyrażenia z operatorem: do

Operatora **do** używamy w zdaniach twierdzących w czasie **Present Simple**, by:

- zaakcentować treść wypowiedzenia:
  You ***do*** *look nice.* (**Naprawdę** ładnie wyglądasz.)
  Do *come downstairs. Tea's ready.* (Zapraszam na dół. Podwieczorek jest gotowy.)
- wyrazić zdziwienie:
  Harry, ***you really do*** *like this place.* (Harry, **ty naprawdę** bardzo lubisz to miejsce.)
- wyrazić sprzeciw:
  A: You don't work very hard. B: I ***do*** *work hard.*
  (Zbyt ciężko nie pracujesz. **Właśnie**, że tak.)

W takich zdaniach **do** wymawiamy zawsze z mocnym akcentem.

ćwiczenia

1. Uzupełnij dialog, korzystając z podanych wyrazów. Ułóż wypowiedzi w odpowiedniej kolejności.

applied to* *failed* *get in (x2)* *passed* *stay on* *took

..1.. **a.** *What are you going to do?*
..... **b.** *Did John ....?*
..... **c.** *Yes, I did. I .... the exam and ....*
..... **d.** *Did you .... to the college you ....?*
..... **e.** *I'm sorry to say he didn't. He .... the exam.*
..... **f.** *I've decided to .... for another year.*

2. Ułóż wypowiedzi w sensowny dialog.

..1.. **a.** *I'm on a post-graduate course.*
..... **b.** *A two-year-course specialising in the humanities.*
..... **c.** *Term starts on 1st October.*
..... **d.** *Is it full-time?*
..... **e.** *Doing what exactly?*
..... **f.** *When do you start?*
..... **g.** *Yes, but I'll have to get a part-time job.*

3. Uzupełnij luki.

1. Wstaw **too** lub **really**.
a. *He's .... eaten a lot.*
b. *This is .... easy for me.*
c. *He's done it once .... often.*
d. *He's eaten far .... much.*
e. *He's .... done it now.*
f. *Is this .... true?*
g. *It's just .... good to be true.*
h. *This is much .... hard.*

2. Wstaw **too** lub **also**.
a. *I .... want to buy some books.*
b. *I'll have a coffee. Me, ...*
c. *Will he be there .... ?*
d. *He .... came.*
e. *I want her to come ....*

4. Uporządkuj wyrazy w poszczególnych zdaniach.

1. *work finished she's her already.*
2. *mine yet haven't I done.*
3. *to had no far defending so I've do.*
4. *very recently been working he's hard.*
5. *Poland returned just from she's.*

5. Uzupełnij luki. Wstaw **do/does** lub **very**.

1. *You look .... nice.*
2. *............... come in.*
3. *You .... like this place, don't you?*
4. *I like these shoes .... much.*
5. *You don't do much, do you? I work .... hard.*
6. *He .... want to come but he can't.*

Flats and Houses

Wielkość domu czy mieszkania mierzy się według ilości sypialni *a 2-/3-/4-bedroom house/flat* (2/3/4 sypialniowy dom/mieszkanie) – czym więcej sypialni, tym większy metraż. Sypialnie na ogół są na piętrze, więc przestrzeń parteru także będzie o tyle większa. W opisie domu na sprzedaż liczy się przede wszystkim ilość sypialni, z których jedna to tak zwany *master bedroom* (sypialnia „gospodarza", mieszcząca podwójne łóżko), potem ilość *reception rooms* (pomieszczeń, w których można przyjmować gości) np. *living room* (salon), *dining room* (jadalnia) itd. i *bathrooms* (łazienek). Na cenę bardzo duży wpływ ma popyt – ten sam dom będzie o wiele droższy lub tańszy zależnie od rejonu, w którym się znajduje i ilości chętnych na jego zakup.

Klucz do ćwiczeń

1. 1a 2f stay on 3d get into, applied to 4c took, passed 5b get in 6e failed **2.** 1a, 2e, 3b, 4d, 5g, 6f, 7c **3.** 1a, e, f. really b, c, d, g, h. too; 2a, d. also b, c, e. too **4.** 1. She's already finished her work. 2. I haven't done mine yet. 3. I've had no defending to do so far. 4. He's been working very hard recently. 5. She's just returned from Poland. **5.** 1, 4, 5. very 2, 3. do 6. does

22. Drinks at the Local

DAVE: - My round. The usual, Harry?
HARRY: - No. A pint of bitter.
DAVE: - They do a superb draught cider here, you know?
HARRY: - Yes, I do. It's got quite a kick but I don't think I'm up to it today. A draught bitter'll be fine.
DAVE: - I'm thirsty so... I'll start with a bitter shandy. ...How's Ania, by the way?
HARRY: - She promised to write, but I haven't heard from her.
DAVE: - It's only been a few days...
HARRY: - Nearly a week actually.
DAVE: - She'll be back in another, what... two or three weeks time?
HARRY: - Who knows? ... I miss her. I'm quite stuck on her.
DAVE: - I've known that since almost the first time I saw the two of you together. Never known you to take a girlfriend home before. The whole family approve, I gather?
HARRY: - So what if they do, doesn't look as if she approves of me now, does it? All I've had is an 'arrived in one piece'.
DAVE: - Remember she's having to pack house and home, say goodbye to friends and family...
HARRY: - But what about me? Am I more than just a friend?
DAVE: - I dare say you'll find that out in time...
HARRY: - She's got this funny crooked smile. Laughs at all my jokes. Seems to be able to get round me all the time...
DAVE: - Good-looking, nice figure and knows how to show it off.
HARRY: - Mmm, and she's got these amazing big brown eyes...

Słownictwo

a pint of bitter - duże ciemne piwo
draught cider - cydr z beczki
it's got quite a kick - ma sporego kopa
be up to doing sth - czuć się na siłach coś zrobić
be thirsty - mieć pragnienie
nearly a week - prawie tydzień
I miss her - tęsknię za nią
be stuck on sb - bardzo kogoś lubić
never known you to - nie spodziewałem się tego po tobie

approve of sb - akceptować kogoś
...I gather? - Rozumiem, że...
doesn't look as if - nie wygląda na to, żeby
arrived in one piece - dojechałem w jednym kawałku
pack house and home - spakować wszystko
I dare say - przypuszczam
find out in time - dowiedzieć się z czasem
funny crooked smile - śmieszny krzywy uśmiech
laughs at my jokes - śmieje się z moich dowcipów
she seems to be able - udaje się jej
get round sb - przekonywać/namawiać kogoś
good-looking/nice figure - atrakcyjna/ładna figura
show sth off - wyeksponować coś
amazing big brown eyes - niesamowite, duże, piwne oczy

Tłumaczenie

W pubie za rogiem. **D:** Moja kolej. To co zwykle, Harry? **H:** Nie. Duże piwo. **D:** Mają tu wspaniały cydr z beczki, wiesz? **H:** Tak, wiem. Ma sporego kopa, ale nie czuję się dzisiaj na siłach. Piwo z beczki będzie okej. **D:** Ja muszę ugasić pragnienie więc... zacznę od shandy. À propos, co u Ani? **D:** Obiecała napisać, ale nic od niej nie przyszło. **D:** Ale to dopiero parę dni... **H:** Prawie tydzień. **D:** Przecież wróci za jakieś, ... 2-3 tygodnie? **H:** Kto wie...? Tęsknię za nią. Bardzo ją polubiłem. **D:** Wiem to prawie od pierwszego razu, jak was razem zobaczyłem. Nigdy nie widziałem, żebyś dziewczynę zawoził do rodziców. Rozumiem, że cała rodzina aprobuje? **H:** Jeśli nawet, to nie wygląda na to, żeby ona mnie aprobowała, prawda? Wszystko, co od niej otrzymałem to „dojechałam w jednym kawałku". **D:** Pamiętaj, że musi wszystko spakować, pożegnać się z przyjaciółmi i rodziną... **H:** Ale co ze mną? Czy jestem czymś więcej niż tylko przyjacielem? **D:** Przypuszczam, że dowiesz się z czasem... **H:** Ma taki śmieszny krzywy uśmiech. Śmieje się ze wszystkich moich dowcipów. Cały czas udaje się jej namówić mnie na różne rzeczy. **D:** Atrakcyjna, z ładną figurą i potrafi ją wyeksponować. **H:** Mmm, ma takie niesamowite, duże, piwne oczy...

Więcej słówek i zwrotów

rely on sb - polegać na kimś
go back a long way - znać się od dawna
similar backgrounds - podobne pochodzenie
enjoy sb's company - lubić czyjeś towarzystwo
stay in touch - podtrzymywać kontakty
see each other - widywać się

be on friendly terms with - mieć przyjazne stosunki
best/oldest/true friend - najlepszy/najstarszy/prawdziwy przyjaciel
meet sb through - poznać kogoś przez
an acquaintance/colleague - znajomy/kolega (z pracy)
work/class/flatmate - kumpel/kolega z pracy/ławki/z którym dzieli się mieszkanie
fall in love with sb - zakochać się
have a huge row - zrobić wielką awanturę

Jak to działa?

Szyk wyrazów w zdaniu: to

By połączyć dwa czasowniki, używamy **to z bezokolicznikiem** lub formy **-ing** drugiego czasownika:

I've never ***known you to take*** *a girlfriend home before.* (Nigdy nie widziałem, żebyś dziewczynę zawoził do rodziców.)
I ***like swimming.*** (Lubię pływać.)

Konstrukcji **to z bezokolicznikiem** używamy z czasownikami opisującymi:

- chęć lub brak zamiaru zrobienia czegoś np.:
  agree (zgodzić się), *decide* (zdecydować się), *hope* (mieć nadzieję), *intend* (mieć zamiar), *offer* (proponować), *refuse* (odmówić), *want* (chcieć):
  She ***promised to write.*** (Obiecała napisać.)
- próby zrobienia czegoś np.:
  attempt (spróbować), *fail* (oblać/nie zrobić), *remember* (pamiętać), *try* (próbować):
  I ***managed to get*** *half-price tickets.* (Udało mi się kupić bilety za pół ceny.)
- brak pewności co do czegoś lub kogoś np.:
  happen (wydarzać się), *seem* (mieć wrażenie) *tend* (mieć zwyczaj):
  He ***appeared to be*** *wearing a dress!* (Wydawało się, że miał na sobie suknię!)

Określenia ilości: all

Wyrazu **all** używamy:

- w znaczeniu „wszystko/wszyscy" bez rzeczownika:
  All *I've had is "an arrived in one piece".* (**Wszystko**, co otrzymałem, to „dojechałam w jednym kawałku".)
  We ***all*** *live together.* (**Wszyscy** mieszkamy razem.)
- w znaczeniu „cały/cała/całe" z rzeczownikiem:
  all day (cały dzień), *all night long* (przez całą noc)
  all summer (całe lato), *all year round* (przez okrągły rok)
  all the family (cała rodzina), *all the time* (cały czas)

Zamiast **all** w znaczeniu „cały/cała/całe" możemy użyć wyrazu **whole**:
The ***whole*** *family approve.* (Cała rodzina (ją) akceptuje.)

Często używane zwroty z wyrazem **all**:
All of us *are going.* (**Wszyscy** jadą.)
I don't like it ***at all.*** (**W ogóle** mi się to nie podoba.)
By all means, *do come.* (**Oczywiście**, przyjdź.)
All in all *it's not so bad.* (**W sumie** nie jest tak źle.)
All of a sudden, *he jumped out.* (**Raptem** wyskoczył.)
For all his faults, *I like him.* (**Mimo jego wad**, lubię go.)
First of all, *he said...* (**Najpierw** powiedział...)
You came ***after all.*** (**A jednak** przyszedłeś.)
For all I know, *he could be anywhere.* (**Nie mam zielonego pojęcia**, gdzie on jest.)

Szyk wyrazów w zdaniu: przymiotniki

Kolejne przymiotniki przed rzeczownikiem porządkujemy według następujących zasad:

kolor	pochodzenie	materiał	funkcja	rzeczownik
a blue	*antique*	*glass*	*flower*	*vase*
a red	*BMW*		*sports*	*car*
an orange		*silk*	*evening*	*dress*

- przymiotniki wyrażające opinię poprzedzają wszystkie pozostałe:
  *a **funny** **crooked** smile* (śmieszny, krzywy uśmiech)
  ***amazing** **big** brown eyes* (niesamowite, duże, piwne oczy)
  *a **strange-looking** **square** mirror* (dziwnie wyglądające kwadratowe lusterko)

- liczebniki zawsze występują na początku:
  ***six** large brown eggs* (sześć dużych brązowych jajek)

Do opisu rzeczownika możemy także użyć innego rzeczownika w liczbie pojedynczej:

the best boat rental deal (najlepsza oferta wynajmu łódki)
2 return tickets (2 bilety powrotne)

ćwiczenia

1. Ułóż wypowiedzi w sensowny dialog.

..1.. **a.** *How's Harry? Has he fallen in love yet?*

..... **b.** *He enjoys her company, doesn't he?*

..... **c.** *By chance, in Poland, just before they came here.*

..... **d.** *Very much so.*

..... **e.** *How did they meet?*

..... **f.** *Well, they see each other quite often.*

2. Spośród wypowiedzi a-f wybierz trzy, które sensownie uzupełniają poniższy dialog:

Harry and you go back a long way, don't you?

1. ....

How did you meet?

2. ....

Oh really?

3. ....

a. *We come from similar backgrounds.*
b. *We've known each other for over 10 years.*
c. *We've always been on friendly terms.*
d. *And then we were flatmates for a time.*
e. *My father and his were business colleagues.*
f. *I can always rely on Harry.*

3. Uporządkuj wyrazy w poszczególnych wypowiedziach.

1. *to we together agreed go.*

....

2. *see wanted film I to the.*

....

3. *tickets get Dave to half-price managed.*

....

4. *she seems to know him.*

....

5. *plane the they meet on to happened.*

....

4. Uzupełnij luki. Wstaw **all** lub **whole**.

1. *The .... family came to the airport.*

2. *................ I've had is a cheese and tomato sandwich.*

3. *He's been here .... the time.*

4. *Have .... of them arrived?*

5. *................ of a sudden it started to rain.*

6. *I've been here the .... time.*

5. Uporządkuj wyrazy w nawiasach.

1. *He was driving a (sports BMW blue) car.*

....

2. *She was wearing a (evening silk black Armani) dress.*

....

3. *He had a (wide strange crooked) smile on his face.*

....

4. *There were (orange beautiful ten) flowers in the vase.*

....

5. *He had the most (smiling large beautiful) eyes.*

....

„Ale" i „Lager Beer"

Większość gatunków piwa polskiego to *lager*, a brytyjskiego to *ale*. Główna różnica to warunki fermentowania i typ używanych drożdży. *Lager* jest jasnym, lżejszym piwem, a *ale* ciemniejszym, pełniejszym, na ogół z większą zawartością alkoholu. W Wlk. Brytanii jest w sprzedaży ponad 2000 rodzajów markowych piw, a większość to piwa własnego wyrobu, najczęściej prosto z beczki. Główne gatunki to: *bitter* – „gorzkie" piwa z beczki; *pale ale* – butelkowane piwa na bazie bitter; *brown ale* – nieco lżejsze, „słodsze" butelkowane piwa; *real ale* – piwa tylko z beczki, które dojrzewają w piwnicach pubu do momentu spożycia; *stout* – bardzo ciemne piwa, robione z palonego jęczmienia.

Klucz do ćwiczeń

1. 1a 2f 3b 4d. 5e 6c **2.** 1b 2e 3d **3.** 1. We agreed to go together. 2. I wanted to see the film. 3. Dave managed to get half-price tickets. 4. She seems to know him. 5. They happened to meet on the plane. **4.** 1, 6. whole 2, 3, 4, 5. all **5.** 1. blue BMW sports 2. black Armani silk evening 3. strange wide crooked 4. ten beautiful orange 5. beautiful large smiling

23. The Letter

Dearest Harry,

I've been writing this letter on and off for the past few days. The very late evening is about the only quiet time that I have to myself right now.

My mornings are spent dealing with all sorts of official stuff, the afternoons with packing, and the evenings with seeing friends and family. At times it feels as if I'm going to the ends of the earth, yet London is barely three hours or so away - less time than it takes to drive down to the Mazury and maybe even less expensive given the cheap flights these days.

On the one hand, I'm delighted that my research grant came through - excited at the prospect of living in London; on the other, terrified as it means I'm going to be on my own in a foreign culture. I hope you're prepared to stick by me - I've got used to you, and Dave. Don't know what I'd do without your help and support.

Tomorrow's the big day - the point of no return - I'm taking all my stuff to be shipped to London. My head's spinning with all that I still have to do both here and when I get back to London.

My brother and sister are already making plans to come and stay, but my mum's a bit tearful, my dad too.

Anyway, hope to see you as soon as I get back.

Love, Ania XXX

Słownictwo

on and off - z przerwami
for the past few days - przez ostatnich parę dni
have to oneself - mieć dla siebie
spend time - spędzać czas
deal with - zajmować się
all sorts of official stuff - różne sprawy papierkowe
at times - czasami
the ends of the earth - koniec świata
barely 3 hours or so away - ledwie około 3 godzin stąd
drive down - pojechać samochodem
given - biorąc pod uwagę
on the one/other hand - z jednej/drugiej strony
be delighted - być zachwyconym
be excited - być podekscytowanym
be terrified - być przerażonym

my research grant - stypendium naukowe
it came through - powiodło się
at the prospect of - na myśl o
on my own - samotnie
a foreign culture - obca kultura
stick by sb - pozostawać komuś wiernym
get used to - przyzwyczajać się
without help and support - bez pomocy i wsparcia
point of no return - moment bez odwrotu
to be shipped - do wysłania
my head's spinning - kręci mi się w głowie
make plans - planować
tearful - łzawy

Tłumaczenie

List. Najdroższy Harry. Piszę ten list z przerwami od paru dni. Bardzo późny wieczór to jedyne spokojne chwile, jakie mam teraz dla siebie. Poranki spędzam na załatwianiu różnych spraw papierkowych, południa na pakowaniu się, a wieczory na spotkaniach z przyjaciółmi i rodziną. Czasami mam wrażenie, że wyjeżdżam na koniec świata, chociaż Londyn jest ledwie około 3 godzin stąd - mniej niż dojazd na Mazury i może nawet taniej, biorąc pod uwagę te tanie loty. Z jednej strony jestem zachwycona, że stypendium naukowe mi się udało - podekscytowana perspektywą mieszkania w Londynie; a z drugiej przerażona, bo to znaczy, że będę samotna w obcej kulturze. Mam nadzieję, że dalej chcesz mnie wspierać - przyzwyczaiłam się do Ciebie i Dave'a. Nie wiem, co bym zrobiła bez Twojej pomocy i wsparcia. Jutro ważny dzień - moment bez odwrotu - wszystkie swoje rzeczy wysyłam do Londynu. W głowie mi się kręci przez wszystko, co jeszcze muszę tutaj i w Londynie zrobić po powrocie. Brat z siostrą już planują wizytę, a mama ma łzy w oczach, tata też. W każdym razie, mam nadzieję, że się zobaczymy, jak tylko wrócę. Całuję, Ania

Więcej słówek i zwrotów

Dear Sir/Madam - Szanowny Panie/Pani
Thank you for your letter of... - Dziękuję za list z dnia...
I would be grateful if... - Byłbym wdzięczny, gdyby...
I am writing with reference to... - Piszę w sprawie...
I would like to ask if... - Chciałbym się dowiedzieć czy...
I hope to hear from you soon. - Z nadzieją na rychłą odpowiedź.
Please let me know if... - Proszę o wiadomość, jeśli...
Should you require/need... - Gdyby było potrzebne...
Your request... - Pańska prośba...
I have enclosed... - Załączam...
Yours sincerely/faithfully/truly - Z poważaniem
With best regards - Serdecznie pozdrawiam

Jak to działa?

Tworzenie rzeczowników z formą -ing

Formy **-ing** każdego czasownika możemy użyć jako rzeczownika:

My mornings are spent ***dealing*** *with all sorts of official stuff, the afternoons with* ***packing****, and the evenings with* ***seeing*** *friends and family.* (Poranki spędzam na **załatwianiu** różnych spraw oficjalnych, południa na **pakowaniu** się, a wieczory na **spotkaniach** z przyjaciółmi i rodziną.)

Po niektórych zwrotach i czasownikach zawsze używamy formy **-ing** kolejnego czasownika:

I ***enjoy playing*** *the piano.* (Lubię grać na pianinie.)
I ***love/hate dancing.*** (Uwielbiam/Nienawidzę tańczyć.)
I've ***finished ironing.*** (Skończyłem prasować.)
I ***miss being*** *in Poland.* (Tęsknię za Polską.)
I ***suggest going*** *tomorrow.* (Proponuję pójść jutro.)
I ***can't help thinking*** *of him.* (Nie mogę się powstrzymać od myślenia o nim.)
I've ***done the washing.*** (Zrobiłam/Skończyłam pranie.)
I'm ***interested in skiing.*** (Interesuję się jazdą na nartach.)
I'm ***afraid of flying.*** (Boję się latania.)
It's ***worth knowing.*** (Warto wiedzieć.)
It's ***no use complaining.*** (Nie ma po co narzekać.)
It's ***no good crying.*** (Nie ma po co płakać.)
Would you mind telling *me the time?* (Czy mógłby mi pan powiedzieć, która jest godzina?)
What about ***having a picnic?*** (Może masz ochotę na piknik?)
I'll go by tube ***instead of driving.*** (Pojadę metrem zamiast samochodem.)
I won't buy it ***without seeing*** *it.* (Nie kupię tego bez obejrzenia.)

Po innych czasownikach używamy tylko formy bezokolicznikowej z **to**:

*I hope you'****re prepared to stick*** *by me.* (Mam nadzieję, że jesteś gotowy pozostać przy mnie.)
Hope to see *you as soon as I get back.* (Mam nadzieję, że zobaczymy się, jak wrócę.)

Są i takie czasowniki, które zmieniają znaczenie zależnie od wyboru formy:

He ***stopped smoking***. (Przestał palić.)
He ***stopped to smoke***. (Zatrzymał się, żeby zapalić.)
I'll never ***forget meeting*** *him.* (Nigdy nie zapomnę spotkania z nim.)
I ***forgot to get*** *the milk.* (Zapomniałem kupić mleka.)
Do you ***remember going*** *to Rye?* (Pamiętasz wyjazd do Rye?)
Remember to do *the shopping.* (Pamiętaj, żeby zrobić zakupy.)
I ***like singing***. (Lubię śpiewać.)
I ***would like to see*** *him.* (Chciałbym go zobaczyć.)

W nielicznych przypadkach po **to** używamy formy **-ing**:

I'm used to/I'm getting used ***to living*** *in London.* (Jestem przyzwyczajona/Przyzwyczajam się do życia w Londynie.)
I'm looking forward ***to seeing*** *you soon.* (Niecierpliwie czekam na zobaczenie się z tobą.)
I'm not up ***to doing*** *anything today.* (Nie czuję się na siłach cokolwiek dzisiaj robić.)

Przyimek: to

To jako przyimek wskazuje m.in. **kierunek**:

It feels as if I'm going ***to*** *the ends of the earth.* (Wydaję się, jakbym jechała **na** koniec świata.)
I'll see you when I get back ***to*** *London.* (Zobaczę cię, kiedy wrócę **do** Londynu.)

Listy:

Pisząc w sprawach prywatnych, oficjalnych bądź nieoficjalnych, stosujemy następujący ogólny szablon listu:

Adres własny	12 Green St London SE19 1TP
Data	15 May 2005
Powitanie	Dear Sir/Madam,/Dear Mr/Ms Smith
Akapit	I am writing to...
Zakończenie	Looking forward to hearing from you. Yours faithfully,/Yours sincerely
Podpis	*Harry Smith*
Czytelnie	Harry Smith

- W liście pisanym ręcznie akapity na ogół mają wcięcie. W liście pisanym maszynowo akapity oddzielamy spacją.
- W listach oficjalnych możemy dodać imię osoby i firmy z adresem, do której piszemy, po lewej stronie, tuż poniżej daty.
- Możemy rozpocząć każdy list od *Dear....* Gdy nie wiemy, do kogo piszemy, używamy zwrotu *Dear Sir/Madam* (Szanowny Panie/Pani), lub *Dear Editor* (Panie Redaktorze) itp.
- Jeśli znamy imię i nazwisko adresata, używamy *Mr* (Pan) albo *Ms* (Pani) wraz z nazwiskiem. Form *Miss* (Panna) i *Mrs* (Mężatka) używamy tylko wtedy, kiedy mamy pewność, że kobieta sama się tak podpisuje.
- Zwyczaj stawiania przecinków po *Dear...*, i po *Yours...*, zanika. Podobnie w adresach i datach.
- Piszemy *Yours faithfully* (z poważaniem), jeśli rozpoczęliśmy *Dear Sir/Madam*, a *Yours sincerely* (z poważaniem), jeśli list rozpoczęliśmy *Dear Mr/Ms...* Poniżej podpisu czytelnie piszemy pełne imię i nazwisko.
- Kończąc list do znajomego – kolegi z pracy, rodziców, przyjaciela itp. możemy użyć: *With best wishes/All the best/Regards* (Najlepsze życzenia/Serdecznie pozdrawiam /Pozdrawiam)

Styl listu oficjalnego jest bardziej formalny:

- używamy pełnych form gramatycznych:
  I am, I do not, I would itp.
- w pierwszym akapicie wprowadzamy temat:
  I am writing to enquire about (Piszę, by się dowiedzieć o...)
  regarding the... (w sprawie...)
  in response to... (w odpowiedzi na...)
  to inform you that/of... (by poinformować, że/o...)
  to complain about... (w sprawie zażalenia o...)
- lub powołujemy się na poprzednią korespondencję/kontakt:
  Thank you for your letter of... (Dziękuję za list z dnia...)
  Further to your letter of... (W sprawie listu z dnia...)
  Further to our conversation... (W sprawie naszej rozmowy...)
- możemy zakończyć list zdaniami:
  I look/Looking forward to hearing from you (soon). (Oczekuję na (rychłą) odpowiedź.)
  Thank you in advance for your help. (Z góry dziękuję za pomoc.)
  Please find enclosed... (W załączeniu...)
  Please let me know if... (Proszę mnie powiadomić, jeśli...)

ćwiczenia

1. Uporządkuj wypowiedzi tak, by stworzyć dwa sensowne dialogi.

Dialog 1

..... **a.** *It's about a quarter to 4.00.*
..... **b.** *Excuse me please.*
..... **c.** *Would you mind telling me the time.*
..... **d.** *Can I help you?*

Dialog 2

..... **a.** *I know.*
..... **b.** *It won't be long before you go for a visit again.*
..... **c.** *Sometimes, I can't help wishing I was still there.*
..... **d.** *I miss being in Poland.*
..... **e.** *It's no good complaining.*

2. Dopasuj zwroty a-g do 1-7.

1. *I won't buy it*
2. *I'll go by tube*
3. *I'm afraid*
4. *I'm interested*
5. *It's no use*
6. *I've done*
7. *What about*

a. *crying.*
b. *without seeing it.*
c. *in waterskiing.*
d. *the ironing.*
e. *having a picnic?*
f. *instead of driving.*
g. *of flying.*

3. Wstaw **to** w odpowiednim miejscu i dopisz **-ing** do czasowników, jeśli trzeba.

1. *I'm not up see anyone today.*

2. *I'm go go Kraków for a day.*

3. *I'm used Harry.*

4. *I'm get used be in England.*

5. *I'll see you when I get back London.*

6. *It's twenty six.*

7. *I'm look forward meet Dave.*

4. Dopasuj tłumaczenia a-h do zdań 1-8.

1. *Remember to do the shopping.*
2. *He stopped smoking.*
3. *I'll never forget meeting him.*
4. *I like singing.*
5. *He stopped to smoke.*
6. *I forgot to get the milk.*
7. *Do you remember going to Rye?*
8. *I would like to see him.*

a. *Przestał palić.*
b. *Zatrzymał się, żeby zapalić.*
c. *Nigdy nie zapomnę spotkania z nim.*
d. *Zapomniałem kupić mleko.*
e. *Pamiętasz wyjazd do Rye?*
f. *Pamiętaj, żeby zrobić zakupy.*
g. *Lubię śpiewać.*
h. *Chciałbym go zobaczyć.*

5. List do banku: uzupełnij luki 1-3 odpowiednią formułką i uszereguj fragmenty a-c.

12 Green St
London
SE19 1TP
1. ....

Dear Mr Brown

..... **a.** *Please let me know should you need anything else.*

..... **b.** *Further to our telephone conversation of 11 May 2005, I'm writing to confirm my change of address and other details.*

..... **c.** *I have enclosed the information you requested.*

Yours **2.** ....
Anna Kowalska
3. ....

XXX

Iksy dopisane na końcu listu oznaczają pocałunki. Podobno zwyczaj pochodzi z czasów, kiedy prości ludzie nie umieli pisać. Zamiast podpisu stawiano X i całowano go, aby potwierdzić wiarygodność swego podpisu. Stąd wyrażenia typu sealed with a kiss (zapieczętowano pocałunkiem).

Klucz do ćwiczeń

1. 1b 2d 3c 4a 5h 6f 7g 8i 9e **2.** 1b 2f 3g 4c 5a 6d 7e **3.** 1. I'm not up to seeing... 2. I'm going to go to... 3. I'm used to... 4. I'm getting used to being 5. ...I get back to... 6. It's twenty to... 7. I'm looking forward to meeting... **4.** 1f 2a 3c 4g 5b 6d 7e 8h **5.** 1. np. 12 May 2005 2. sincerely 3. Anna Kowalska; 4b, 5c, 6a

24. **Sprawdź się!**

145 **1.** **Rozumienie ze słuchu** Po wysłuchaniu dialogów zdecyduj, które zdania są prawdziwe (True – T), a które fałszywe (False – F).

Dialog 1

1. *Dave's going to a football match.* ☐
2. *Harry's brother's playing.* ☐
3. *He's not a good player.* ☐

Dialog 2

1. *Ania has left Harry.* ☐
2. *Ania's gone to Poland.* ☐
3. *She's not coming back.* ☐

Dialog 3

1. *Peter didn't get in to college.* ☐
2. *Peter failed the exam.* ☐
3. *John failed his exam.* ☐

Dialog 4

1. *Harry has fallen in love.* ☐
2. *Dave introduced Harry and Ania.* ☐
3. *They met in England.* ☐

Dialog 5

1. *Sometimes Ania would like to be in Poland.* ☐
2. *She can't go back.* ☐
3. *Harry wants to go to Poland.* ☐

2. **Test** Wybierz właściwą odpowiedź.

1. *Everything seems to be okay ... .*
a. *so far* ***b.*** *already*
c. *as yet* ***d.*** *just*

2. *She was wearing a ....*
a. *beautiful evening silk dress*
b. *silk evening beautiful dress*
c. *evening beautiful silk dress*
d. *beautiful silk evening dress*

3. *He was already there .... I arrived.*
a. *whose* **b.** *when*
c. *what* **d.** *that*

4. *My wife has a .... - child from her second marriage.*
a. *half* ***b.*** *step*
c. *great* ***d.*** *ex*

5. *We're getting used to .... together.*
a. *lived* ***b.*** *live*
c. *living* ***d.*** *lives*

6. *Let's meet when I get back .... Warsaw.*
a. *to* ***b.*** *too*
c. *two* ***d.*** *into*

7. *We had to work .... night to finish on time.*
a. *of all* ***b.*** *all the*
c. *all* ***d.*** *for all*

8. *We usually go ..... on Thursdays.*
a. *to shops* ***b.*** *shop*
c. *to shopping* ***d.*** *shopping*

9. *What .... you do if I say I'm not coming?*
a. *will* ***b.*** *do* ***c.*** *shall* ***d.*** *would*

10. *It's .... small – try a larger size.*
a. *too* ***b.*** *very* ***c.*** *much* ***d.*** *also*

11. *Thank you ...... for your help.*
a. *in response* ***b.*** *to inform*
c. *in advance* ***d.*** *further to*

12. *They did their best .... Ania up*
a. *cheer* ***b.*** *cheering*
c. *to cheer* ***d.*** *cheers*

13. *What's the catch? There has to be ....*
a. *mine* ***b.*** *one* ***c.*** *yours* ***d.*** *its*

14. *You don't work very hard. I .... work hard.*
a. *does* ***b.*** *very*
c. *very do* ***d.*** *do*

15. *Harry wants .... a new job soon.*
a. *to get* ***b.*** *get*
c. *getting* ***d.*** *to got*

3. Krzyżówka

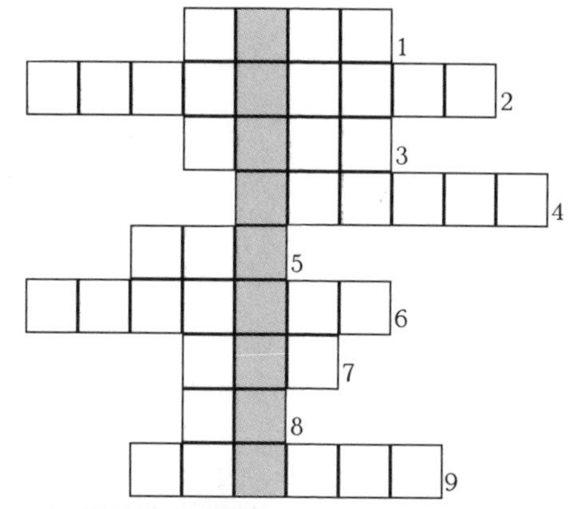

1. *To be ..... to do something.*
2. *Rozmowa kwalifikacyjna.*
3. *prawie pół litra.*
4. *Litera, list.*
5. *Wynik: 2 – .....[„zero”]*
6. *Obcy.*
7. *I dare ..... he'll be there.*
8. *He's staying ..... at school.*
9. *Single or ....?*

Klucz do ćwiczeń

1. Rozumienie ze słuchu. dialog **1** T, F, F; dialog **2** F, T, F; dialog **3** F, F, T; dialog **4** T, F, F; dialog **5** T, F, F **2. Test.** 1–a 2–d 3–b 4–b 5–c 6–a 7–c 8–d 9–d 10–a 11–c 12–c 13–b 14–d 15–a **3. Krzyżówka.** hasło: brilliant (able, interview, pint, letter, nil, foreign, say, on, return)

25. Flat Hunting

BATTERSEA PARK RD to let dbl rm, f/f, with f/kitch, w/m, xlnt transport & amenities, small garden, £87.00pw.
BATTERSEA, SW11, suit n/s female, single rm, 5 mins tube & rail, nr shops, gch, w/m, 2 wks dep, £70.00pw.
LITTLE VENICE, W9, lge comfy bedsit, own bathrm, shared kitch, close to transport, suit quiet person, £400.00pm incl.

ANIA: - I've been looking at ads like these until I'm cross-eyed.
DAVE: - I hadn't noticed. You look all right to me. Now you've mentioned it, maybe a little. I hadn't looked closely before.
ANIA: - Oh, stop it Dave. What does 'gch' mean? And 'w/m'? I think I've managed to work everything else out...
DAVE: - "Gas central heating" and 'washing machine'. The f's stand for 'fully furnished' and 'fitted' as in kitchen.
ANIA: - Mmm, and the prices?
DAVE: - Yes, you do need to watch the prices. The 'pw' is per week while 'pm' is per month. The 'incl' means inclusive.
ANIA: - What else should I watch out for?
DAVE: - The area. It does have an effect on the price. Places like Little Venice are very good areas. In Battersea it depends on where exactly the property is.
ANIA: - Well, it'll be a good way of really getting to know London.
DAVE: - So, let's check some of these places out with the agent.
ANIA: - Do they charge a fee?
DAVE: - They will if you find a place via them. We need to get as much information as we can and then go for the classifieds.

Słownictwo

f/f (fully furnished) - w pełni umeblowane
to let - do wynajęcia
f/kitch (fitted kitchen) - kuchnia nowocześnie wyposażona
w/m (washing machine) - pralka
amenities - udogodnienia
...pm incl (per month inclusive) - miesięcznie w tym opłaty

suit n/s (non-smoking) female - dla niepalącej kobiety
5 mins tube & rail - 5 minut do metra i kolei
gch (gas central heating) - centralne ogrzewanie na gaz
2 wks dep (weeks' deposit) - 2 tygodnie z góry
lge comfy (large comfortable) - duży, wygodny
bedsit - sypialnia/salon
own bathrm (bathroom) - do wyłącznego użytku
shared kitch (kitchen) - wspólna kuchnia
classified ads - drobne ogłoszenia
be cross-eyed - mieć zeza
you look all right - wyglądasz w porządku
work sth out - rozwiązać coś
stand for - być odpowiednikiem
watch out for - zwracać uwagę na coś
have an effect on sth/sb - mieć na coś/kogoś wpływ
get to know sth/sb - poznawać coś/kogoś
check sth/sb out - sprawdzić coś/kogoś
charge a fee - obciążać opłatą
go for sth - wziąć się do czegoś

Tłumaczenie

Polowanie na mieszkanie. **Battersea Park Rd**, do wynajęcia pokój dwuosobowy, pełne umeblowanie, z wyposażoną kuchnią, pralką, świetna komunikacja publiczna i udogodnienia, 87 funtów tygodniowo. **Battersea, SW11**, pokój jednoosobowy dla niepalącej kobiety, 5 minut od metra i kolei, blisko sklepów, centralne ogrzewanie na gaz, pralka, zaliczka 140 funtów, 70 funtów tygodniowo. **Little Venice, W9**, duży, wygodny pokój, łazienka do wyłącznego użytku, wspólna kuchnia, blisko środków transportu, dla spokojnej osoby, 400 funtów miesięcznie, w tym opłaty. ■ **A:** Aż dostałam zeza od oglądania tych ogłoszeń. **D:** Nie zauważyłem. Jak dla mnie wyglądasz normalnie. No, może troszkę. Wcześniej nie przypatrywałem ci się z bliska. **A:** Oj, przestań Dave. Co oznacza „gch" i „w/m"? Resztę chyba udało mi się rozszyfrować. **D:** Centralne ogrzewanie na gaz i pralka. Te „f" to skróty od „w pełni umeblowane" albo „wyposażone" w odniesieniu do kuchni. **A:** Mmm, a ceny? **D:** Tak, faktycznie trzeba przyglądać się cenom. „Pw" znaczy tygodniowo, „pm" miesięcznie. „Incl" znaczy, że opłaty są wliczone w cenę. **A:** Na co jeszcze powinnam zwrócić uwagę? **D:** Na dzielnicę. To będzie miało wpływ na cenę. Miejsca takie jak Little Venice to dobre dzielnice. W Battersea zależy, gdzie dokładnie znajduje się nieruchomość. **A:** Więc będzie to bardzo dobry sposób poznawania Londynu. **D:** Sprawdźmy niektóre z tych miejsc z agentem. **A:** Czy oni pobierają jakąś prowizję? **D:** Tak, jeśli to oni znajdą ci mieszkanie. Trzeba zdobyć jak najwięcej informacji, a potem wziąć się do czytania drobnych ogłoszeń.

Więcej słówek i zwrotów

an Estate Agent's - biuro nieruchomości
tenant/the landlord/-lady - lokator/właściciel/-ka
pay the rent in advance - płacić czynsz z góry
a flat share - współwynajęte mieszkanie
rent/let a flat - wynająć (lokator)/(właściciel) mieszkanie
rent/hire a car/boat... - wynająć samochód/łódź...
It's in a nice neighbourhood. - Jest w dobrej dzielnicy.
detached/semi-detached house - wolnostojący/bliźniak
terraced house/a block of flats - szeregowiec/blok
ground/1st floor flat - mieszkanie na parterze/1. piętrze
leave/stay at home - odejść z/zostać w domu
home town - miasto rodzinne
There's no place like home. - Nie ma jak w domu.

Jak to działa?

PAST PERFECT SIMPLE

Czas Past Perfect Simple tworzymy przy pomocy operatora **had** i **3. formy czasownika głównego**:

He ***hadn't noticed*** *me yet.* (Jeszcze mnie nie zauważył.)

Past Perfect Simple jest mniej więcej odpowiednikiem czasu zaprzeszłego używanego kiedyś także w jęz. pol.:

I've been looking at ads like these until I'm cross-eyed. I ***hadn't noticed.*** *You look all right to me.* (Aż mam zeza od oglądania takich ogłoszeń. **Nie zauważyłem**. Jak dla mnie wyglądasz normalnie.)

Past Perfect Simple pozwala nam porządkować kolejność wydarzeń w opisie sytuacji:

But now you've mentioned it, maybe a little. I ***hadn't looked*** *closely* ***before.*** (Ale skoro wspomniałaś, może troszkę. **Wcześniej nie przypatrywałem** się ci z bliska.)

Szyk wyrazów w zdaniu: else

Wyrazu **else** (jeszcze/inny/oprócz) używamy najczęściej w połączeniu z następującymi wyrazami:

something/anything/everything/nothing else
someone/anyone/everyone/no one/nobody else
somewhere/anywhere/everywhere/nowhere else
What/How/Who/Where/Why else?

Tłumaczymy zależnie od kontekstu:

Anything else? (Coś jeszcze?)
I've managed to work ***everything else*** *out.* (Całą resztę/Resztę chyba udało mi się rozwiązać.)
I don't know ***anyone else*** *here.* (Nikogo więcej/innego tutaj nie znam.)
Everybody else *can.* (Wszyscy inni mogą oprócz mnie.)
Put it ***somewhere else.*** (Połóż to gdzie indziej.)
What else *should I watch out for?* (Na co jeszcze powinnam zwrócić uwagę?)
Where else *have you been?* (Gdzie jeszcze byłaś?)

Zwrotu **or else** (albo/bo jak nie) używamy, podając alternatywę lub grożąc:

We can go to the cinema ***or else*** *stay at home and watch TV.* (Możemy wyjść do kina **albo** zostać w domu i oglądać telewizję.)
Stop arguing ***or else!*** (Przestań się kłócić, **bo jak nie**!)

Szyk wyrazów w zdaniu: przyimki

W jęz. ang. zdanie można zakończyć przyimkiem:

What else should I watch out ***for?*** (**Na** co jeszcze powinnam zwrócić uwagę?)
I hadn't looked closely ***before.*** (**Wcześniej** nie przypatrywałem się ci z bliska.)
Do you have any examples I could look ***at?*** (Czy masz jakieś przykłady, **na** które mógłbym spojrzeć?)

Drobne ogłoszenia:

Nazwa „**classified ads**" pochodzi od czasownika **classify** (klasyfikować). W takich drobnych ogłoszeniach:

- nie używywamy pełnych zdań gramatycznych, koncentrując się głównie na opisie:

  NEEDS GOOD HOME: 1-yr-old black and white mongrel. Very loving. Has all shots. (Potrzebuje dobrego domu: roczny czarno-biały kundel. Bardzo przyjazny. Ma wszystkie szczepienia.)

- często używamy skrótów:

  *...to let **dbl rm**, **f/f**, with **f/kitch**, **w/m**, **xlnt** transport & amenities, small garden £87.00 **pw**.* (Do wynajęcia pokój dwu osobowy, pełne umeblowanie, z wyposażoną kuchnią, pralką, świetna komunikacja publiczna i udogodnienia, mały ogród, 87 funtów tygodniowo.)

- staramy się zachęcać:

  ...lge comfy bedsit, own bathrm, shared kitch, close to transport, suit quiet person, £95.00pw incl.
  (...duży wygodny pokój, łazienka do wyłącznego użytku, wspólna kuchnia, blisko środków transportu, dla spokojnej osoby, 95 funtów, w tym opłaty.)

Czasowniki złożone:

W jęz. ang. jest wiele czasowników złożonych, składających się z dwóch lub trzech wyrazów:

do with/without (chcieć coś/radzić sobie bez czegoś)
watch out for (zwracać uwagę na)

Dość często zdarza się, że tłumaczymy je czasownikiem z przedrostkiem:

stick by *sb* (**po**zostawać komuś wiernym)
sort *sth* ***out*** (**u**porządkować)
work *sth* ***out*** (**roz**wiązać coś/jakiś problem)

Niektórych czasowników złożonych nie rozdzielamy w zdaniu:

The f's ***stand for*** *"fully furnished".* (Te „f" **to skrót od** „w pełni umeblowane".)

It ***depends on*** *where exactly the property is.* (**Zależy**, gdzie dokładnie znajduje się nieruchomość.)

I'm ***dealing with*** *all sorts of stuff.* (**Zajmuję się** różnymi sprawami.)

A niektóre rozdzielamy:

That's what ***puts*** *me* ***off.*** (To właśnie mnie **zniechęca**.)

Let's ***check*** *some of these places* ***out.*** (**Sprawdźmy** niektóre z tych miejsc.)

We ***get on*** *well* ***with*** *each other.* (Dobrze się **dogadujemy**.)

ćwiczenia

1. Dopasuj pytania a-f do dialogu.

There's no place like home.

1. ....
It's great and my landlady's really nice.

2. ....
There's only one other girl at the moment.

3. ....
I don't really know as I rarely see her.

4. ....
It's all detached and semi-detached houses.

5. ....
Oh, yes. It's only a 5 minute walk to the tube.

6. ....
It's a very quiet area.

a. *And the other tenants?*
b. *What's the neighbourhood like?*
c. *What's it like coming back in the evenings?*
d. *How's the new flat?*
e. *Is the transport okay?*
f. *What's she like?*

2. Przepisz wszystkie skróty w pełnej formie.

To let lge comfy dbl rm, f/f, with f/kitch, w/m, gch, xlnt transport, suit student, £87.00 pw incl.

....

....

....

3. Uzupełnij luki odpowiednią formą czasowników w nawiasach. Użyj Past Simple, Past Continuous lub Past Perfect Simple.

I .... (wait) for him at the hotel but he .... (not, come). He .... (call) and .... (say) to meet him in the café on the corner at 11.00. It .... (be) now ten to 12.00. I .... (look) straight at him. He .... (not, see) me yet.

4. Wstaw **else** lub **or else** w odpowiednich miejscach.

1. *I've managed to work everything out.*

2. *Don't argue with me!*

3. *What have you got for me?*

4. *I might go to Harry's he'll come here.*

5. *It can go anywhere but here.*

6. *Who was with you?*

7. *Stop complaining!*

8. *I don't know how to do it.*

5. Uzupełnij wypowiedzi odpowiednim wyrazem z ramki.

by, for, off, on, out (x4), over, with, without

1. *I'll help you sort it.*
2. *I'm dealing all sorts of stuff.*
3. *I've worked everything.*
4. *I hope you'll stick me.*
5. *I need a break to think it.*
6. *That's what puts me.*
7. *It depends what you want to do.*
8. *Let's check these places.*
9. *What else should I watch for?*
10. *I don't know what I'd do your help.*
11. *The 'A' stands Andrew.*

„House" a „Home"

Anglicy mają dwa słowa na „dom". *House* oznacza sam budynek, np. *Let's meet at my house.* (Spotkajmy się u mnie w domu. – czyli w tym budynku/miejscu). Wyraz *home* ma znaczenie domu w sensie „ciepła i bezpieczeństwa" np. *I'm going home.* (Idę do domu.)

Klucz do ćwiczeń

1. 1d 2a 3f 4b 5e 6c **2.** large, comfortable, double room, fully-furnished, fitted kitchen, washing machine, gas central heating, excellent, per week, inclusive **3.** 1. 'd waited 2. hadn't come 3. 'd called 4. said/'d said 5. was 6. was looking 7. hadn't seen **4.** 1. ...everything else out. 2. ...me or else! 3. What else...? 4. ...Harry's or else he'll... 5. ...anywhere else but... 6. Who else...? 7. ...complaining or else! 8. ...how else to... **5.** 1. ...sort it out. 2. ...dealing with all... 3. ...worked everything out. 4. ...stick by me. 5. ...think it over. 6. ...puts me off. 7. ...depends on... 8. ...check these places out. 9. ...watch out for? 10. ...do without your... 11. ...stand for Andrew.

26. Computer-wise

47

HARRY: – Have you decided yet? Notebook or desktop PC?
ANIA: – I just hadn't planned on paying quite so much. Notebooks are more expensive, at least the good ones.
HARRY: – That's true - there's no point in buying the cheapest in the range. It'll drive you mad having to wait forever for it to do what you want.
ANIA: – Also the screens seem to be so small. We bought a new LCD monitor for our PC in Poland. It's fantastic. You can turn the screen sort of sideways, know what I mean?
HARRY: – Yes, but do you really need another desktop PC here, in England? Doesn't it make more sense just to get a notebook?
ANIA: – That's precisely what puts me off - some of the ones I've seen are really little more than the size of a 'notebook'.
HARRY: – But that's the beauty of the thing. It'll be no worse than carrying a handbag, will it? You can take them anywhere.
ANIA: – I suppose so. But it's an awful lot of money to waste on something you're going to hate.
HARRY: – Believe me, you won't be wasting money. Anyway, because you'll be doing quite a lot of travelling now, it'll be much more practical. If I were you, I'd go for a notebook.
ANIA: – And if I were you, I wouldn't be so sure. Let's make a pros and cons list, and consider the possible extra costs.
HARRY: – There's the programming, but that comes with a lot of the special offers, a good battery could be expensive...
ANIA: – Time for coffee. I need a break to think all this over.

Słownictwo

that's true – to prawda
there's no point in buying – nie ma po co kupować
cheapest in the range – najtańsze w danym rodzaju/typie
drive sb mad – doprowadzić kogoś do szału
wait forever for – czekać w nieskończoność na
also the screens – także ekrany
it's fantastic – jest fantastyczne
sort of sideways – jakby w bok
know what I mean – wiesz, o co chodzi

make sense - mieć sens
it's precisely that - to dokładnie to
put sb off - zniechęcać kogoś
the beauty of the thing - w tym właśnie sedno
an awful lot of money - strasznie dużo pieniędzy
waste money on sth - marnować pieniądze na
believe me - wierz mi
more practical - bardziej praktyczne
make a pros and cons list - zrobić listę za i przeciw
consider sth - zastanowić się nad czymś
the extra costs - dodatkowe koszty
come with sth - w pakiecie
a good battery - dobra bateria
think sth over - coś przemyśleć

Tłumaczenie

Z komputerem za pan brat. **H:** Zdecydowałaś się? Laptop czy zwykły pecet? **A:** Po prostu nie planowałam aż tyle wydawać. Laptopy są droższe, przynajmniej te dobre. **H:** To prawda, a nie ma co kupować najtańszych. Czekanie w nieskończoność, żeby zrobił to, co chcesz, będzie cię doprowadzać do szału. **A:** No i ekrany są takie małe. Kupiliśmy nowy monitor LCD do naszego peceta w Polsce. Jest fantastyczny. Można przekręcać ekran tak w bok, wiesz o co mi chodzi? **H:** Tak, ale czy ty naprawdę potrzebujesz jeszcze jednego peceta tu w Anglii? Czy nie rozsądniej kupić notebooka? **A:** To właśnie mnie do nich zniechęca - niektóre naprawdę są niewiele większe niż notes. **H:** Ale to właśnie w tym jest cała ich uroda. Przenosi się je nie gorzej niż torebkę, no nie? Można je wziąć wszędzie. **A:** No tak. Ale to strasznie dużo pieniędzy za coś, czego się będzie nienawidzić. **H:** Wierz mi, to nie będą zmarnowane pieniądze. Tak czy owak, ponieważ teraz będziesz sporo podróżowała, będzie o wiele praktyczniej. Na twoim miejscu kupiłbym laptopa. **A:** A gdybym była na twoim, nie byłabym taka pewna. Zróbmy listę za i przeciw i zastanówmy się nad możliwymi dodatkowymi kosztami. **H:** Oprogramowanie jest prawie zawsze w pakiecie, z kolei dobra bateria może być droga... **A:** Czas na kawę. Przyda mi się przerwa, by to wszystko przemyśleć.

Więcej słówek i zwrotów

hardware/software - sprzęt/oprogramowanie
the operating system - system operacyjny
run a programme - uruchomić program
process/store data - przetwarzać/zachowywać dane
graphics/icon/picture/image - grafika/ikona/obraz
bold/italics/underline - pogrubienie/kursywa/podkreślenie
folder/file/document - katalog/plik/dokument

right/left click - prawy/lewy przycisk
right-click menu - menu podręczne
minimise/maximise/restore - zmniejsz/powiększ/odśwież
browse/scroll up/down - przeglądać/przewijać w górę/dół
save/save as - zapisz/zapisz jako
run off the mains/on a battery - działać na prąd/na baterię

Jak to działa?

Tryb warunkowy: If I were you...

Ze zwrotem **If I were you...** (gdybym był na twoim miejscu) najczęściej używamy **would** w drugiej części zdania:

And if I were you, ***I wouldn't*** *be so sure.* (A gdybym była na twoim miejscu, nie byłabym taka pewna.)

Would występuje zwykle w skróconej formie:

*If I were you, I**'d** go for a notebook.* (Na twoim miejscu pewnie kupiłbym laptopa.)

Możemy także użyć **might** z odpowiednią zmianą w znaczeniu:

If I were you, I ***might*** *go for a notebook.* (Na twoim miejscu **może** kupiłbym laptopa.)

Przyimki: in, at

Przyimek **in** znaczy **w** w sensie wewnątrz/w środku:

We bought a new LCD monitor for our PC ***in Poland.*** (Kupiliśmy nowy monitor LCD do naszego peceta w Polsce.)
The cheapest ***in the range.*** (Najtańszy w danej serii.)

Porównaj:

He's ***in the office*** *with someone.* (Jest z kimś „u siebie" w gabinecie.) - wewnątrz gabinetu.
He's ***at the office.*** (Jest w pracy/w biurze.)

W jęz. ang. mówimy:

***at** home, **at** work, **at** school* (w domu, w pracy, w szkole)

In także jest częścią wielu zwrotów:

*There's **no point in** buying the cheapest.* (**Nie ma co** kupować najtańszych.)
*I'll take two **just in case**.* (Na wszelki wypadek wezmę dwa.)
*We'll go **in spite of** the weather.* (Pójdziemy **wbrew/mimo** pogody.)
*He looks older but **in fact** he's only twenty-five.* (Wygląda starzej, ale **w rzeczywistości** ma tylko 25 lat.)

Szyk wyrazów w zdaniu: that, there

Wyrazów **that** i **there** często używamy na początku zdania:

*But **that**'s the beauty of the thing.* (Ale to właśnie w tym jest cała uroda.)
***That**'s precisely what puts me off.* (To jest dokładnie to, co mnie zniechęca.)
***There are** two books on the table.* (Na stole są dwie książki.)

That najczęściej tłumaczymy jako **to**, a samo **there** bardzo rzadko tłumaczymy:

***There**'s the programming, but **that** comes with a lot of the special offers...* (Oprogramowanie, ale to (=ono) jest prawie zawsze w pakiecie...)
***That**'s true - **there**'s no point in buying the cheapest.* (To prawda - nie ma co kupować najtańszych.)

Wyrazy: also, and, as, because, but, or, anyway

Also (także) możemy użyć na początku lub w środku zdania:

***Also**, the screens seem to be so small.* (Także/No i ekrany są takie małe.)
*He **also** wanted to go.* (On też chciał pojechać.)

Z **and** **(i, a)** łączymy dwa wyrazy lub dwa stwierdzenia:

pros and cons (za i przeciw)

Let's make a ***pros and cons*** *list, and consider the possible extra costs.* (Zróbmy listę za i przeciw i zastanówmy się nad możliwymi dodatkowymi kosztami.)

Używając **as** **(jak i)** też możemy łączyć zdania:

I take pleasure in educating him in the higher forms of art, ***as*** *he does me in the lower ones.* (Ja czerpię przyjemność z uczenia go o wyższych formach sztuki, jak i/a on mnie o niższych.)

Używając **because** **(ponieważ)** wskazujemy powód:

It'll be much more practical ***because*** *you'll be doing quite a lot of travelling now.*

Because *you'll be doing quite a lot of travelling now, it'll be much more practical.* (Ponieważ teraz będziesz sporo podróżowała, tak będzie o wiele praktyczniej.)

Stosując **but** **(ale)** wprowadzamy znaczenie przeciwstawne:

Some are really little more than the size of a "notebook". (Niektóre to naprawdę są niewiele większe niż notes.)

But *that's the beauty of the thing.* (Ale to właśnie w tym jest cała uroda.)

But może mieć także znaczenie **oprócz**:

Everybody knew about it ***but*** *me.* (Wszyscy o tym wiedzieli oprócz mnie.)

Poprzez **or** **(lub/czy)** wskazujemy wybór:

I'm trying to work out where best to go - the West End ***or*** *a local shopping centre.* (Zastanawiam się, gdzie najlepiej pójść - na West End czy może do centrum handlowego.)

Przy pomocy wyrazu **anyway** zmieniamy temat i nadajemy nowy kierunek rozmowie:

Anyway*, as I was saying...* (**W każdym razie**, jak wcześniej wspominałem...)

Believe me, you won't be wasting money. ***Anyway****, because you'll be doing quite a lot of travelling now, it'll be much more practical.* (Wierz mi, to nie będą zmarnowane pieniądze. **Tak czy owak**, ponieważ teraz będziesz sporo podróżowała, będzie o wiele praktyczniej.)
There won't be much difference in price. ***Anyway****, the summer sales have started.* (Wielkiej różnicy w cenie nie będzie. **Zresztą** rozpoczęły się letnie wyprzedaże.)

ćwiczenia

1. Ułóż wypowiedzi w sensowne dialogi.

Dialog 1

..... **a.** *That's right. My PC is an antique.*

..... **b.** *There are quite a few special offers.*

..... **c.** *Well, the sales have started.*

..1.. **d.** *You wanted to buy a computer, didn't you?*

..... **e.** *Have you seen anything good?*

Dialog 2

..... **a.** *Anywhere special?*

..... **b.** *I've been browsing the Internet for holiday ideas.*

..... **c.** *Looks great from the pictures.*

..1.. **d.** *How do I save pictures?*

..... **e.** *I was thinking of Egypt, I've never been there before.*

..... **f.** *Use the right-click menu. Choose "save image as".*

2. Uzupełnij luki. Wstaw **at** lub **in**.

1. *I live .... London.*

2. *He lives .... a detached house.*

3. *We live .... no. 11 on Green St.*

4. *Do come ....*

5. *He's .... his office.*

6. *Peter's .... school, he'll be home .... an hour.*

7. *I'm .... the garden .... the moment.*

8. *The film starts .... 7.30 .... about 20 mins time.*

9. *We arrived .... time, ... fact we were 10 mins early.*

10. *Take the keys when you go out, just .... case.*

3. Wstaw **wouldn't** lub **'d**.

If I were you,...
I buy a notebook. I go for one of the latest ones - they're really small and you be able to take it anywhere. I get one of those special batteries that last a long time so it be a problem.
But I'm not you so, I.

4. Wstaw **that** lub **there**.

1. *...........'s what puts me off.*

2. *...........'s a letter for you.*

3. *...........'s the beauty of the thing.*

4. *...........'s the battery, but ....'s included in the price.*

5. *...........'s true. ....'s no point in buying the cheapest.*

 **5.** Uzupełnij luki. Wstaw wyrazy z ramki:

also, and, as, because (x2), but (x2), or, anyway

I've been looking at desktop PC's .... at notebooks. I'm considering the notebook computers .... they don't take up much space ...., ... you know, I'll be travelling quite a lot. The screens are very small .... I'll probably get used to that ...., at least, I hope I will. ...., it's the price that's more of a problem .... good ones cost a lot.

„Programme" a „Program"

Programme to np. program telewizyjny itp. Natomiast *program* używamy w sprawach dotyczących komputera, oprogramowania itp. Bywa to czasem mylące, gdyż w formach *-ing* i *-ed* podwajamy *m* np. *Computer programming was my favourite subject.* (Programowanie było moim ulubionym przedmiotem.) *Program* pochodzi z angielszczyzny amerykańskiej, która w końcówkach wielu wyrazów stara się upraszczać pisownię np. *color* zamiast *colour* (kolor), *center* zamiast *centre, minimize* zamiast *minimise.* Jest to próba zbliżenia pisowni do wymowy i wyeliminowania wyjątków np. *traveling* zamiast *travelling* (Anglicy w wyrazach kończących się na *-l* mają zwyczaj podwajania litery *-l*), *thru* zamiast *through* (wyrazy kończące się na *ough* wymawia się w bardzo różny sposób).

Klucz do ćwiczeń

1. 1d, a, c, e, b; 2d, f, b, a, e, c **2.** 1, 4, 5, 9, 19. in 2, 3. at 6, 8. at, in 7. in, at **3.** I'd buy…, I'd go for…, …and you'd be…, I'd get one…, …so it wouldn't be…, …so, I wouldn't. **4.** 1. That 2. That 3. There 4. There, that 5. That, There **5.** but, also, because, and, as, but, or, Anyway, because

27. The Waiting Room

ANIA: - Harry, I just needed to have a moan to somebody.

HARRY: - I know, and I'm always happy to oblige, but you may as well go through with it now we're here. Sit down while I check you in at reception.

ANIA: - With any luck there won't be an appointment available.

HARRY: - No chance. I phoned earlier. They had a cancellation. By the way, it's men who are supposed to avoid doctors. You ought to get yourself registered somewhere now anyway.

ANIA: - Okay, you win. I suppose I'd better.

HARRY: - We have about 10 mins to fill in these forms.

ANIA: - This is the part I hate. You crawl in unwell and they expect you to think straight and in English too.

HARRY: - You're next, Ania.

ANIA: - Good afternoon. I was asked to fill in these forms.

DOCTOR: - Good afternoon. Thank you. Generally fit and healthy I see. So, what seems to be the matter?

ANIA: - I've been feeling tired and achy. I've had a sore throat off and on and I've been coughing quite a lot. I think I've got a slight temperature but I haven't measured it.

DOCTOR: - Okay, so let's have a look at your throat and listen to your chest. Open your mouth and say ah. Does this hurt?

ANIA: - A little.

DOCTOR: - Now, take a deep breath and breathe out slowly. Your lungs are clear but you have quite a nasty throat infection. You'll need to take an antibiotic and gargle three times a day.

Słownictwo

waiting room - poczekalnia
have a moan - ponarzekać
be happy to oblige - chętnie wyświadczyć przysługę
may as well - równie dobrze
go through with sth - zrealizować coś
with any luck - przy odrobinie szczęścia
available - dostępny
avoid doctors - unikać lekarzy
get yourself registered - zarejestrować się
you win - wygrałeś

fill in - wypełnić
crawl in unwell - wczołgać się ledwo żywy
expect sb to do sth - oczekiwać, że ktoś coś zrobi
think straight - jasno myśleć
fit and healthy - zdrowy i w dobrej formie
What seems to be the matter? - Co pani dolega?
tired and achy - zmęczony i obolały
a sore throat - ból gardła
a slight temperature - niewielka gorączka
listen to your chest - osłuchać oskrzela
Does this hurt? - Czy to boli?
take a deep breath - wziąć głęboki oddech
breathe out slowly - wydychać powoli
a nasty throat infection - ostra infekcja gardła
clear lungs - czyste płuca
gargle - płukać gardło

Tłumaczenie

W poczekalni u lekarza. **A**: Harry, po prostu musiałam komuś ponarzekać. **H**: Wiem, i zawsze jestem do usług, ale możesz równie dobrze załatwić to teraz, skoro już tu jesteśmy. Usiądź, zarejestruję cię. **A**: Przy odrobinie szczęścia nie będzie numerków. **H**: Nie ma szans. Dzwoniłem wcześniej. Ktoś odwołał. À propos, to faceci podobno unikają lekarzy. Tak czy inaczej, powinnaś się gdzieś zarejestrować do lekarza. **A**: Dobra, wygrałeś. Chyba naprawdę powinnam. **H**: Mamy około 10 minut, żeby wypełnić te formularze. **A**: Tego to nie znoszę. Człowiek wczołguje się ledwo żywy, a oni oczekują, że będzie jasno myślał, na dodatek po angielsku. **H**: Teraz twoja kolej. **A**: Dzień dobry. Poproszono, bym wypełniła te formularze. **D**: Dzień dobry. Dziękuję. Ogólnie biorąc wygląda na to, że jest pani w dobrej formie. Więc co pani dolega? **A**: Czuję się zmęczona i obolała. Pobolewa mnie gardło i dość dużo kaszlę. Chyba mam niewielką temperaturę, ale nie mierzyłam. **D**: Dobrze więc, zajrzymy do gardła i osłuchamy oskrzela. Proszę otwórzyć usta i powiedzieć aaa. Czy to boli? **A**: Trochę. **D**: Proszę wziąć głęboki wdech i powoli wypuścić powietrze. W płucach czysto, ale ma pani dość ostre zapalenie gardła. Zapiszę pani antybiotyk i coś do płukania 3 razy dziennie.

Więcej słówek i zwrotów

be in good/bad shape - być w dobrej/złej formie
be injured/have an accident - być rannym/mieć wypadek
be treated for sth - być leczonym na coś
be off work/school - być na zwolnieniu z pracy/szkoły
have trouble swallowing - mieć problemy z połykaniem
a sprained/broken ankle - zwichnięta/złamana kostka

need stitches/treatment - potrzebować szwów/leczenia
make an appointment - umówić się na wizytę
It keeps me awake at night. - Nie daje mi spać w nocy.
The doctor examined me. - Lekarz mnie zbadał.
The rash has cleared up. - Wysypka przeszła.
There's a nasty flu going round. - Ostra grypa panuje.
It's nothing serious. - To nic poważnego.

Jak to działa?

PRESENT PERFECT CONTINUOUS

Czas Present Perfect Continuous tworzymy przy pomocy operatora **have/has, been** i **czasownika głównego w formie -ing**:

I ***have been seeing*** *him.* (Widuję się z nim.)
*He'****s been seeing*** *me.* (Widuje się ze mną.)

Present Perfect Continuous opisuje stan, który trwa od jakiegoś czasu w przeszłości i wygląda na to, że jeszcze będzie trwał:

I've ***been feeling*** *tired and achy.* (Czuję się zmęczona i obolała.)
I've ***been coughing*** *quite a lot.* (Od jakiegoś czasu dość dużo kaszlę.)

Wyrażenia modalne: ought to, had better, should

Wszystkie 3 zwroty opisują powinność:

You ***should/ought to/had better*** *go to the doctor.* (Powinnaś pójść do lekarza.)

Wybór pomiędzy nimi polega na drobnych różnicach w znaczeniu:

You ***should*** *go to the doctor.* (Powinnaś pójść do lekarza.) - rada/sugestia
You ***ought to*** *get yourself registered.* (Powinnaś się zarejestrować.) - obowiązek: każdy jest zarejestrowany
*You'****d better.*** (Powinnaś.) - ostrzeżenie.

Czasowniki: feel, give, have/have got, take

Bardzo często używamy **feel** i **have/have got**, kiedy mówimy o samopoczuciu i dolegliwościach:

I've got a/an	*cold* (przeziębienie), *headache* (ból głowy), *stomach ache* (ból brzucha), *allergy* (alergię), *hangover* (kaca), *sore...* (obolałe...), *pain in my...* (ból w...)
I've got	*hayfever* (katar sienny), *food poisoning* (zatrucie pokarmowe), *the flu* (grypę), *indigestion* (niestrawność)
I feel	*ill* (chory), *unwell* (niezdrów), *dizzy* (zawroty głowy), *terrible/awful/dreadful* (strasznie, okropnie)
I don't feel	*too good* (zbyt dobrze), *very well* (bardzo dobrze)

Porównaj:

*I **feel sick**.* (Źle sie czuję/Nudzi mnie.)
i *I'm going to **be sick**.* (Zaraz zwymiotuję.)

Mówiąc o czynnościach wykonywanych przez lekarza często używamy słów **give** i **take**:

The doctor...

gives you a/an	*check-up* (badanie okresowe), *injection* (zastrzyk), *prescription* (receptę)
takes your	*blood pressure* (ciśnienie), *pulse* (puls), *temperature* (temperaturę)
takes a	*blood/urine sample* (próbkę krwi/moczu)

ćwiczenia

1. Dopasuj wypowiedzi a-f do zdań 1-6, aby utworzyć dwa sensowne dialogi.

How are you feeling today?
1. ....
Let me see. You may be allergic to something.
2. ....
About two days ago.
3. ....

What did the doctor say, then?

4. ....

Did he give you something else?

5. ....

So, you'll be off school for another few days.

6. ....

a. *He thinks it might be the antibiotic.*
b. *No, I can't take time off. I have to go in tomorrow.*
c. *I think we'd better change the antibiotic.*
d. *When did it start?*
e. *Yes, and I'm to go back to him if the rash gets any worse.*
f. *My throat's much better but I seem to have a rash.*

2. Uzupełnij luki odpowiednią formą czasownika w nawiasach. Użyj Present Perfect Simple lub Present Perfect Continuous.

I .... (be) to the doctor because I .... (not, feel) very well. I .... (cough) a lot and I .... (have) a sore throat. My throat .... (be) so sore that I .... (have) trouble swallowing.

3. Uzupełnij luki w poniższych zdaniach, używając wyrazów z ramki.

temperature gone worse cold dreadful

1. *I've got a bit of a ....*

2. *I'm getting ....*

3. *I've got a ....*

4. *I feel ....*

5. *My temperature's .... up.*

4. Uzupełnij luki. Użyj **have got**, **feel**, **give** lub **take** w odpowiedniej formie i czasie. Dodaj **a/an**, **the**, **me** i **my**, jeśli trzeba.

1. *He .... hangover.*
2. *He .... blood sample*
3. *He .... dizzy.*
4. *He .... check-up.*
5. *He .... sick.*
6. *He .... headache.*
7. *He .... temperature.*
8. *He .... terrible.*
9. *He .... injection.*
10. *He .... very well.*
11. *He .... flu*

5. Uzupełni luki wyrażeniami z ramki.

accident broke good shape nothing serious seriously injured stitches

Harry was once .... in a car ....

He had to have .... and .... his leg.

He was in hospital for over 2 months. He's in pretty

.... now and says it was ....

GP

GP (*general practitioner* – praktykujący medycynę ogólną) to skrót onaczający lekarza pierwszego kontaktu. Do specjalistów można tylko dotrzeć poprzez GP lub ewentualnie prywatnie. Poza godzinami otwarcia gabinetu, w nagłych przypadkach, idziemy do *Casualty Department* (izby przyjęć nagłych wypadków) w szpitalu.

Klucz do ćwiczeń

1. 1f 2d 3c 4a 5e 6b **2.** 've been, haven't been feeling, 've been coughing, 've had, 's been, 've been having **3.** 1. cold 2. worse 3. temperature 4. dreadful 5. gone **4.** 1. 's got a 2. took a 3. feels 4. gave me a 5. feels 6. 's got a 7. took my 8. feels 9. gave me an 10. doesn't feel 11. 's got the **5.** seriously injured, accident, stitches, broke, good shape, nothing serious

28. A Current Account

ANIA: – Good morning. I'd like to open an account, deposit this cheque and withdraw some cash, please.

BANK MANAGER: – Good morning. Do you have any identification?

ANIA: – My passport and this letter describing my current status in Britain.

BANK MANAGER: – What kind of account were you thinking of opening?

ANIA: – I hadn't really thought about it. I need to be able to withdraw money on a regular basis.

BANK MANAGER: – I would suggest you open a current account now and perhaps one of our savings accounts later, after you have considered which would be most suitable.

ANIA: – That sounds reasonable. What do I need to do?

BANK MANAGER: – Quite a lot of form filling to start with, I'm afraid. You'll be wanting a cash card, of course and a cheque book?

ANIA: – Yes, I would, if I may.

BANK MANAGER: – We'll be needing sample signatures. If you could just start with these forms. How much did you intend to withdraw?

ANIA: – About a hundred pounds please.

BANK MANAGER: – Now, everything seems to be in order. Here is some information about our savings accounts. Your card and cheque book will be posted to you within a week.

ANIA: – What if I need to make a withdrawal before that?

BANK MANAGER: – Just come to the bank. This is the paperwork confirming the opening of your account and the bank clerk, at the window over there, will give you the money you require.

Słownictwo

a bank manager - jeden z kierowników w banku
open an account - otworzyć konto
...any identification - ...jakiś dowód tożsamości
current status - obecny status
deposit a cheque - wpłacić czek
withdraw/make a withdrawal - podejmować pieniądze
a regular basis - regularnie/często
a current account - rachunek bieżący
a savings account - konto terminowe
most suitable - najodpowiedniejszy
sounds reasonable - brzmi rozsądnie
form filling - wypełnianie formularzy
a cash card - karta do bankomatu
a cheque book - książeczka czekowa
sample signature - wzór podpisu
in order - uporządkowane
within a week - w przeciągu tygodnia
the paperwork - papiery/dokumenty
bank clerk - pracownik banku/urzędnik
at the window - przy okienku

Tłumaczenie

Rachunek bieżący. **A:** Dzień dobry. Chciałabym otworzyć konto, wpłacić czek i podjąć gotówkę. **BM:** Dzień dobry. Czy ma pani dowód tożsamości? **A:** Paszport i ten list opisujący mój obecny status w Wlk. Brytanii. **BM:** Jaki rodzaj konta chciała pani otworzyć? **A:** Tak naprawdę to tego nie przemyślałam. Muszę być w stanie regularnie podejmować pieniądze. **BM:** Proponowałbym teraz otwarcie rachunku bieżącego, a później po zastanowieniu się, które będzie najodpowiedniejsze, jednego z naszych kont terminowych. **A:** To brzmi rozsądnie. Co mam zrobić? **BM:** Niestety, na początek będzie sporo wypełniania formularzy. Na pewno pani będzie chciała otrzymać kartę do bankomatu i książeczkę czekową? **A:** Tak, poproszę, jeśli można. **BM:** Będziemy potrzebowali wzorów pani podpisu. Może mogłaby pani rozpocząć wypełnianie tych formularzy. Ile pani zamierzała podjąć? **A:** Około stu funtów. **BM:** Wszystko wydaje się w porządku. Tu mamy informację o naszych kontach terminowych. Karta i czeki zostaną wysłane pocztą w przeciągu tygodnia. **A:** A jeśli będę potrzebowała wcześniej podjąć pieniądze? **BM:** Proszę się zgłosić do banku. Tu są dokumenty potwierdzające otwarcie konta, a przy tamtej kasie wypłacą pani pieniądze.

Więcej słówek i zwrotów

high interest account - wysoko oprocentowana lokata
joint account - wspólne konto
pay sth into your account - wpłacać coś na konto
transfer money from an account to... - przelać z... do...
be overdrawn/have an overdraft - przekroczyć stan konta/ mieć debet
be in debt/have a debt - mieć długi/mieć dług
get a loan - dostać pożyczkę
need some cash/change - potrzebować gotówki/drobnych
current exchange rate - aktualny kurs wymiany
change traveller's cheques - wymieniać czeki podróżne
key in your PIN number - wpisz PIN
insert your card - włóż kartę
press the button - przyciśnij klawisz

Jak to działa?

Wyrażenia modalne: will... be + 'ing'

Z każdym czasownikiem modalnym możemy używać formy **be + „-ing"**:

*You'**ll be wanting** a cash card, of course?* (Na pewno pani będzie chciała kartę do bankomatu?)
*We'**ll be needing** sample signatures.* (Będziemy potrzebować wzory podpisu.)
*He **can't be having** the meeting now, surely?* (Przecież nie może teraz być na zebraniu?)
*I **might be going**, I'll see.* (Może pojadę, zobaczę.)

Czasownik: think

Czasownik **think** możemy tłumaczyć na kilka sposobów, w zależności od kontekstu:

*I **think** I'll go.* (Chyba pójdę - **Myślę/Sądzę**, że pójdę.)
*I **think** so.* (Chyba tak. - **Myślę/Sądzę**, że tak.)

*I'm **thinking** about it.* (**Zastanawiam** się nad tym.)
*What kind of account were you **thinking** of opening?*
(Nad otwarciem jakiego konta pani się **zastanawiała**?)
*I've **thought** about it and the answer is "no".* (**Przemyślałam** to i odpowiedź brzmi „nie".)
*I hadn't really **thought** about it.* (Tak naprawdę to tego nie **przemyślałam** - przed przyjściem do banku.)
*I **thought** to myself that...* (**Pomyślałam** sobie, że...)
*I **thought** he wouldn't do it.* (**Sądziłem/Myślałem**, że tego nie zrobi.)

Język formalny

W jęz. ang., podobnie jak w jęz. pol., czasów przeszłych używamy w bardziej formalnych rozmowach dla zachowania uprzejmości i dystansu:

*How much **did you intend** to withdraw?* (Ile pani zamierzała podjąć pieniędzy?)
*What kind of account were **you thinking of** opening?* (Nad otwarciem jakiego konta się pani zastanawiała?)

Podobnie w prośbach i propozycjach, kiedy nie jesteśmy do końca pewni reakcji rozmówcy:

***I was wondering if** you'd like to join us?* (**Zastanawiałem się**, czy nie chciałabyś do nas dołączyć?)
***I was hoping** you could advise me on how best to present my CV.* (**Miałem nadzieję**, że mi poradzisz, jak najlepiej napisać moje CV.)

Często korzystamy z **would** i **could**:

I'***d like*** to open an account. (**Chciałabym** otworzyć konto.)
I ***would suggest*** you open a current account. (**Proponowałbym** otwarcie konta bieżącego.)
If you could just start with these forms? (**Jeśli mogłaby pani** po prostu rozpocząć wypełnianie tych formularzy?)

Łagodzimy wypowiedź, używając zamiast bardziej bezpośredniego **will** uprzejmego **would**:

You'll be wanting a cash card, of course? Yes, *I would*. (Na pewno **pani będzie chciała** kartę do bankomatu. Tak, **chciałabym/poproszę**.)

I używamy **may** raczej niż zbyt bezpośredniego **can**:

Yes, I would, if ***I may***. (Tak, poproszę, **Jeśli pan pozwoli/ można**.)

May I *suggest today's special?* (**Mógłbym** zaproponować dzisiejsze danie dnia?)

Korzystamy także z szeregu zwrotów idiomatycznych:

Quite a lot of form filling to start with, ***I'm afraid***. (**Obawiam się, że/Niestety,** na początek będzie sporo wypełniania formularzy.)

If you could *just start with these forms?* (**Jeśli mogłaby pani** po prostu rozpocząć wypełnianie tych formularzy.)

I don't suppose you'd *be interested?* (**Nie przypuszczam, że byłbyś** zainteresowany?) - nie wiem jakie masz plany i nie chcę się narzucać...

Występując w imieniu instytucji czy firmy, używamy **we** (my) zamiast **I** (ja) lub **our** (nasz) zamiast **my** (mój):

We'll *be needing sample signatures.* (Będziemy potrzebowali wzorów podpisu.)

Perhaps one of ***our*** *savings accounts.* (Może jedno z **naszych** kont terminowych.)

ćwiczenia

1. Ułóż wypowiedzi w sensowny dialog.

..... **a.** *What happened?*

..... **b.** *So, I have to pay it back first.*

..1.. **c.** *I've been to the bank.*

..... **d.** *I've got an overdraft.*

..... **e.** *So?*

..... **f.** *Why's that?*

..... **g.** *They won't give me a loan.*

2. Dopasuj tłumaczenia a-f do podkreślonych zwrotów 1-6.

1. *I don't think so.*

2. *I hadn't thought about it.*

3. *He's thinking about it.*

4. *He has to think about it.*

5. *I think I'll go.*

6. *I thought he wasn't going.*

a. *sądzę*

b. *myślałem*

c. *chyba nie*

d. *nie przemyślałem*

e. *musi (o tym) pomyśleć*

f. *zastanawia się*

3. Wstaw **would/'d**, **could**, **may** lub **will/'ll**.

1. *I like to open an account.*

2. *If you just start with these forms?*

3. *I suggest you open a deposit account later.*

4. *You be wanting a cash card, of course?*
Yes, I, if I.

5. *I suggest you apply for a loan?*

6. *you advise me which account be best?*

4. Uzupełnij luki czasownikami w nawiasach w odpowiedniej formie czasu przeszłego Past Simple i Past Continuous, lub użyj **could**.

1. *I .... (hope) you .... (advise) me.*

2. *I .... (suppose, not) I .... (withdraw) some money now?*

3. *I .... (wonder) if I .... (transfer) some money?*

4. *How much .... (intend, you) to pay in?*

5. *What kind of account .... (think, you) of opening?*

5. Wstaw czasowniki w nawiasach w odpowiedniej formie **be** + **ing**. Użyj form skróconych, jeśli można.

1. *You .... a cash card. (will, want)*

2. *.............................. with us? (he, will, come)*

3. *He .... the meeting. (must, have)*

4. *.............................. a cheque book? (you, will, need)*

5. *She .... her loan soon. (will, get)*

6. *I .... the loan, after all. (will, need, not)*

7. *I ...., I don't know yet. (might, go)*

6. Ułóż wydarzenia w odpowiedniej kolejności.

To get money from a cashpoint:

..... **a.** *Press the 'withdraw cash button'.*

..... **b.** *Insert your card.*

..... **c.** *Choose the amount of money you want.*

..... **d.** *Take your cash and card.*

..... **e.** *Key in your PIN number.*

Bank Opening Times

Godziny otwarcia banków to przeciętnie pn.-pt. od 9.00-15.30, niektóre do 17.30. Bywają też otwarte w soboty. *Bureaux de change* (kantory) mają dłuższe godziny otwarcia, ale warto sprawdzać oprocentowanie przed wymianą pieniędzy. Z *cashpoint* (bankomat) można korzystać na ogół całą dobę, niektóre są nieczynne tylko przez parę godzin w nocy. W potocznym języku bankomat nazywa się *a hole in the wall* (dziura w ścianie), a karty kredytowe *plastic money* (pieniądze z plastiku). W Anglii dalej funkcjonują także czeki. Dawniej normą było opłacanie rachunków czekiem wysyłanym pocztą.

Klucz do ćwiczeń

1. 1c 2a 3g 4f 5d 6e 7b **2.** 1c 2d 3f 4e 5a 6b **3.** 1. 'd 2. could 3. would/May 4. 'll, would, may 5. May/would 6. Could, would **4.** 1. was hoping, could advise 2. don't suppose, could withdraw 3. was wondering, could transfer 4. did you intend 5. were you thinking **5.** 1. 'll be wanting 2. Will he be coming 3. must be having 4. Will you be needing 5. 'll be getting 6. won't be needing 7. might be going **6.** 1b 2e 3a 4c 5d

29. A Stroll through Time

50

ANIA: - I'm in London, where I so wanted to be. I'm settled in a wonderful flat, with my fabulous new laptop, or rather notebook. I've got almost precisely the research grant I'd hoped for. What more could a girl possibly want?

HARRY: - Me?

ANIA: - We've known each other for what? three months, is it?

HARRY: - You actually mean put up with each other, don't you?

ANIA: - What if I hadn't come in to the college that day?

HARRY: - Or if you hadn't been asked to give me that letter?

ANIA: - If you hadn't phoned...

HARRY: - And you hadn't accepted we...

ANIA: - ...wouldn't be going out with each other now, would we?

HARRY: - You once said something about travelling more?

ANIA: - Mmm, so I did, didn't I? ... So, where to?

HARRY: - How about what Dave would call a 'crazy weekend' in say... Paris? Do you think you'd be up for it?

ANIA: - A trip to Amsterdam would cause more of a stir.

HARRY: - The August Bank Holiday's coming up soon.

ANIA: - We could go for three whole days, maybe even four or five?

HARRY: - It's a little too early for me to be taking time off work but I'll see what I can do. The job's turning out to be much better than I had expected. I'm really enjoying it.

ANIA: - And is your sister-in-law still nagging?

HARRY: - A lot less since she thinks I'm settling down... Actually, there is another place I've always dreamt of going to...

Słownictwo

a stroll - spacer
fabulous - bajeczny
almost precisely - prawie dokładnie
possibly - możliwie
know sb/each other - znać kogoś/się
put up with sb - wytrzymać z kimś
accept - przyjmować
going out with sb - chodzić z kimś
in say... Paris - powiedzmy... w Paryżu
crazy weekend - zwariowany weekend
be up for sth - stać kogoś, by coś zrobić

cause a stir - robić zamieszanie
is coming up - nadchodzi
take time off work - wziąć wolne w pracy
turn out - okazać się
expect - oczekiwać
dream of sth - marzyć o czymś

Tłumaczenie

Podróż w czasie. **A:** Jestem w Londynie, gdzie tak bardzo chciałam być. Zamieszkałam w cudownym mieszkaniu, z moim bajecznym nowym laptopem, czyli „notebookiem". Mam prawie dokładnie takie stypendium naukowe, na jakie miałam nadzieję. Czego jeszcze mogłaby dziewczyna zapragnąć? **H:** Mnie? **A:** Znamy się ze 3 miesiące, no nie? **H:** Raczej wytrzymujemy ze sobą, nie sądzisz? **A:** A co by było, gdybym tego dnia nie przyszła na uczelnię? **H:** Albo, gdyby cię nie proszono o przekazanie mi tego listu? **A:** Gdybyś nie zadzwonił... **H:** A ty nie przyjęła zaproszenia... **A:** To teraz nie chodzilibyśmy ze sobą, prawda? **H:** Kiedyś wspominałaś, że chciałaś więcej jeździć po świecie? **A:** Mmm, faktycznie, tak mówiłam. Więc dokąd? **H:** Może masz ochotę na coś, co Dave chyba nazwałby „zwariowanym weekendem" w Paryżu? Myślisz, że stać cię na to? **A:** Wycieczka do Amsterdamu prawdopodobnie narobiłaby więcej zamieszania. **H:** Wkrótce nadchodzi długi weekend sierpniowy. **A:** Moglibyśmy pojechać na pełne 3 dni, a może 4 albo 5? **H:** Trochę za wcześnie, żebym się zwalniał z pracy, ale zobaczę, co da się zrobić. Wychodzi na to, że moja praca jest o wiele lepsza niż się spodziewałem. Naprawdę sprawia mi przyjemność. **A:** A czy twoja bratowa dalej ględzi? **H:** O wiele mniej, odkąd myśli, że się ustatkowuję... Wiesz co, jest jeszcze jedno miejsce, do którego zawsze chciałem pojechać...

Więcej słówek i zwrotów

first impression - pierwsze wrażenie
grow on sb - coraz bardziej się podobać
the ideal/perfect couple - idealna/doskonała para
make a good pair - być dobrą parą
a good/bad relationship - dobry/zły związek
tall, dark and handsome - wysoki, ciemnowłosy i przystojny
a striking blonde/brunette/redhead - zniewalająca blondynka/brunetka/rudowłosa
fall in love - zakochać się
enjoy sb's company - lubić czyjeś towarzystwo
I wish I was/I'd done... - Chciałabym być/Gdybym tylko...
If only he'd done... - Gdyby on tylko zrobił...
Would you mind if I... - Czy miałbyś coś przeciwko temu, gdybym...
I would appreciate it if... - Byłbym wdzięczny, gdyby...

Jak to działa?

Wyrażenia modalne: would, could

Często używamy **would** i **could**, kiedy nie mamy co do czegoś pewności:

How about what Dave ***would*** *call a 'crazy weekend' in say... Paris?* (Może masz ochotę na coś co Dave **prawdopodobnie** nazwałby „zwariowanym weekendem" w Paryżu?)
A trip to Amsterdam ***would*** *cause more of a stir.* (Wycieczka do Amsterdamu **prawdopodobnie** narobiłaby więcej zamieszania.)
We ***could*** *go for three whole days, maybe even four or five?* (**Moglibyśmy** pojechać na pełne 3 dni, a może 4 albo 5?)

Porównaj:
It's a little too early for me to be taking time off work but ***I'll*** *see what I* ***can*** *do.* (Trochę za wcześnie, żebym się zwalniał z pracy, ale zobaczę co się da/mogę zrobić.)

Tryb warunkowy: gdyby... to by...

W zdaniach z **if**, kiedy zastanawiamy się nad tym, co mogłoby się wydarzyć w przeszłości, ale się nie wydarzyło, używamy czasu **Past Perfect Simple**:

What ***if*** *I* ***hadn't come*** *in to the college that day?* (A co by było, gdybym tego dnia nie przyszła na uczelnię?)
Or ***if*** *you* ***hadn't been asked*** *to give me that letter?* (Albo, gdyby cię nie proszono o przekazanie mi tego listu?)

W drugiej części zdania najczęściej używamy **would**:
If *you* ***hadn't phoned*** *and I* ***hadn't accepted*** *we* ***wouldn't*** *be going out with each other now.* (**Gdybyś nie zadzwonił**, a ja **nie przyjęłabym** zaproszenia, to teraz nie **chodzilibyśmy** ze sobą.)

W zdaniach z **wish (życzyć sobie/chcieć)** w odniesieniu do przyszłości często używamy **Past Simple**:
I wish I was *a doctor.* (Chciałabym być lekarzem.)

Natomiast w zdaniach z **wish** i **if only** **(gdybym tylko)**, kiedy mówimy, że czegoś nam szkoda, używamy **Past Perfect Simple**:

I wish I'd done what he'd asked. (Gdybym tylko zrobił to, o co mnie prosił.)
If only he'd been there. (Gdyby on tylko tam - wtedy - był.)

Określenia czasu: since, for

For wskazuje okres czasu:

We've known each other ***for three months****, is it?* (Znamy się **od 3 miesięcy**, no nie?)
We could go ***for three whole days.*** (Moglibyśmy pojechać **na pełne 3 dni.**)

Since wskazuje moment rozpoczęcia sytuacji lub zdarzenia:

A lot less ***since*** *she thinks I'm settling down.* (O wiele mniej, **odkąd** myśli, że się ustatkowuję.)

Zwroty: other/another, each other

Other **(inny)** używamy, gdy mówimy o innych rzeczach lub osobach:

Where is the ***other*** *bag?* (Gdzie jest **tamta** torba?)
I've found my ***other*** *shoe.* (Znalazłem **drugi** but.)
And at ***other*** *times?* (A w **innych** porach dnia?)

Another **(jeszcze jeden)** jest połączeniem wyrazów **an** i **other**:

There is ***another*** *place I've always dreamt of going to.* (Jest **jeszcze jedno** miejsce, do którego zawsze chciałem pojechać.)

Zwrotu **each other** używamy, kiedy chodzi nam o wzajemność – **się**, **siebie**, **sobie nawzajem**:

We've known ***each other*** *for three months.* (Znamy **się** od trzech miesięcy.)
You mean put up with ***each other.*** (Raczej wytrzymujemy ze ***sobą***.)
We wouldn't be going out with ***each other*** *now.* (To teraz nie chodzilibyśmy ze ***sobą***.)

Wyraz: actually

Wyraz **actually** **(prawdę powiedziawszy)** tłumaczymy w zależności od kontekstu:

You ***actually*** *mean put up with each other, don't you?* (Chodzi ci **raczej** o to, że wytrzymujemy ze sobą, prawda?)
Actually, *there is another place I've always dreamt of going to.* (**Wiesz co**, jest jeszcze jedno miejsce, do którego zawsze chciałem pojechać.)

Wyraz: so

Wyrazu **so** używamy, by:

- coś podkreślić:
  I'm in London, where I ***so*** *wanted to be.* (Jestem w Londynie, gdzie **tak bardzo** chciałam być.)
  I'm ***so*** *sorry I'm late.* (Przepraszam **bardzo**, że się spóźniłam.)
- coś potwierdzić:
  Mmm, ***so I did***, *didn't I?* (Mmm, **faktycznie**, tak mówiłam.)
  So am *I.* (Ja **też**.)
- wyrazić opinię:
  I think/believe/hope/suppose ***so.*** (Sądzę/wierzę/mam nadzieję/ przepuszczam, **że tak**.
  It ***seems so.*** (Wydaje się, **że tak**.)
- nawiązać do poprzedniej sytuacji:
  So, *where to?* (**Więc** dokąd?)
  I was ***cold so*** *I put on a jumper.* (Było mi zimno, **więc** nałożyłam sweter.)
  She put on a jumper ***so*** *that she wouldn't be cold.* (Nałożyła sweter, **żeby** jej nie było zimno.)

ćwiczenia

1. Ułóż wypowiedzi w sensowny dialog.

..... **a.** *Come on, good or bad?*

..... **b.** *I'd better not answer that.*

..1.. **c.** *What was your first impression of me?*

..... **d.** *We make a good pair, don't we?*

..... **e.** *We're just growing on each other more and more.*

..... **f.** *Actually, quite good and I still enjoy your company.*

2. Dopasuj fragmenty a-e do 1-5, aby utworzyć sensowny ciąg wydarzeń.

1. *What if...*

2. *Or if...*

3. *We wouldn't have got to know each other...*

4. *If you hadn't called me,...*

5. *And if I hadn't spent that day with you,...*

a. *...well, we wouldn't be here now.*

b. *...I hadn't come that day?*

c. *...I wouldn't have agreed to spend the day with you.*

d. *...if we hadn't travelled together.*

e. *...you hadn't been at the college?*

3. Uzupełnij luki w zdaniach czasownikami w nawiasach w odpowiedniej formie w czasie przeszłym, Past Simple lub Past Perfect Simple.

1. *I wish he .... here now. (be)*

2. *If only he .... (do) as he was told.*

3. *I wish I .... (be) younger.*

4. *I wish they .... (come).*

5. *If only we .... (go) by train.*

4. Uzupełnij luki. Wstaw **since** lub **for**.

1. *I've been in London .... June.*

2. *They've known each other .... 3 months.*

3. *We could go .... a week.*

4. *She's been nagging a lot less .... I got the new job.*

5. *It's been raining .... yesterday.*

6. *I won't be back .... another 2 hours.*

5. Uzupełnij luki. Wstaw **other**, **another** lub **each other**.

1. *Where's the .... one?*

2. *This one's broken. Have you got ....?*

3. *They've been going out with .... for 3 months.*

4. *I've found the .... key.*

5. *I really would like .... coffee.*

6. *They loved .... once now they simply put up with ....*

7. *Has he been at .... times?*

8. *There's .... place I want you to see.*

9. *We've known .... for 3 months.*

10. *How many .... ones do you have?*

6. Dopasuj tłumaczenia a-f do 1-6.

1. *It seems so.*
2. *I'm so sorry.*
3. *I hope so.*
4. *So, what's next?*
5. *So is he.*
6. *So I did.*

a. *Mam nadzieję, że tak.*
b. *Więc, co dalej?*
c. *Faktycznie.*
d. *Tak się wydaje.*
e. *Bardzo przepraszam.*
f. *On też.*

Bank Holidays

A Bank Holiday Monday to poniedziałek, oficjalny dzień wolny od pracy. *Bank Holiday* to dni, w których banki, poczty i fabryki zawsze są zamknięte. Dni wolne od pracy uregulowano ustawami ministerstwa finansów. Większość tych dni wypada w poniedziałki: *New Year's Day* (Nowy Rok – lub najbliższy poniedziałek po), *Good Friday* (Wielki Piątek), *Easter Monday* (poniedziałek wielkanocny), *May Day Bank Holiday* (na ogół pierwszy poniedziałek maja), *Spring Bank Holiday* (ostatni poniedziałek maja), *Summer Bank Holiday* (ostatni poniedziałek sierpnia), *Christmas Day* (pierwszy dzień świąt Bożego Narodzenia – lub najbliższy poniedziałek po nim) i *Boxing Day* (drugi dzien świąt – lub następny dzień pracujący po pierwszym dniu świąt). *Bank Holiday Weekends*, zwłaszcza w maju i sierpniu, są to weekendy, które większość osób próbuje spędzać poza miastem, powodując ogromny tłok i korki na drogach z miasta i z powrotem.

Klucz do ćwiczeń

1. 1c 2b 3a 4f 5d 6e **2.** 1b 2e 3d 4c 5a **3.** 1. was 2. 'd done 3. was 4. hadn't come 5. hadn't gone **4.** 1. since 2. for 3. for 4. since 5. since 6. for **5.** 1, 4, 7, 10 – other; 2, 5, 8. – another; 3, 6, 9 – each other **6.** 1d 2e 3a 4b 5f 6c

30. Sprawdź się!

151 **1. Rozumienie ze słuchu** Po wysłuchaniu dialogów zdecyduj, które zdania są prawdziwe (T – True), a które nie (F – False).

Dialog 1

1. *Ania doesn't like her flat.* ☐
2. *Ania has a nice landlady.* ☐
3. *There are two other tenants.* ☐

Dialog 2

1. *Ania wants to buy a computer.* ☐
2. *Harry has seen some good offers.* ☐
3. *Ania doesn't want Harry to help her.* ☐

Dialog 3

1. *Ania doesn't have a rash.* ☐
2. *Ania is taking an antibiotic.* ☐
3. *Ania isn't going to work at the moment.* ☐

Dialog 4

1. *Ania went to the bank.* ☐
2. *She hasn't opened an account yet.* ☐
3. *The bank will send her a cash card.* ☐

Dialog 5

1. *Ania didn't like Harry at first.* ☐
2. *Ania enjoys being with Harry.* ☐
3. *Harry doesn't want to answer Ania.* ☐

2. Test Wybierz właściwą odpowiedź.

1. *If I were you, I .... be so sure.*
   a. *couldn't* **b.** *can't*
   c. *wouldn't* **d.** *won't*

2. *........., see you tomorrow.*
   a. *Also* **b.** *As*
   c. *Actually* **d.** *Anyway*

3. *We .... more of these by the end of the week.*
   a. *need* **b.** *'ve needed*
   c. *'ll be need* **d.** *'ll be needing*

4. *I don't know what .... to do.*
   a. *yet* **b.** *else*
   c. *either* **d.** *or else*

5. *I wish I .... there.*
   a. *'d been* **b.** *'ve been*
   c. *was been* **d.** *'m being*

6. *You .... go to the meeting or there'll be trouble.*
   a. *could* **b.** *ought*
   c. *would* **d.** *'d better*

7. *But you said it doesn't start till Tuesday. ...., sorry.*
__a.__ So I did *__b.__ So I do*
__c.__ So I have *__d.__ So I was*

8. *Ania and Harry get on really well .... each other.*
__a.__ on *__b.__ with* *__c.__ in* *__d.__ off*

9. *The doctor .... me a check once every 6 months.*
__a.__ feels *__b.__ gives* *__c.__ takes* *__d.__ has*

10. *I was hoping to go away .... a few days.*
__a.__ for *__b.__ on* *__c.__ since* *__d.__ to*

11. *........ what's so good about it.*
__a.__ There's *__b.__ There are*
__c.__ That are *__d.__ That's*

12. *Where's my .... shoe?*
__a.__ each other *__b.__ another*
__c.__ other *__d.__ second*

13. *He should be .... work by now.*
__a.__ in *__b.__ at*
__c.__ on *__d.__ off*

14. *If you .... I would never have known.*
__a.__ haven't called
__b.__ didn't call
__c.__ hadn't called
__d.__ weren't calling

15. *We .... each other since just before I left Poland.*
__a.__ see *__b.__ 've seen*
__c.__ saw *__d.__ 've been seeing*

3. Krzyżówka

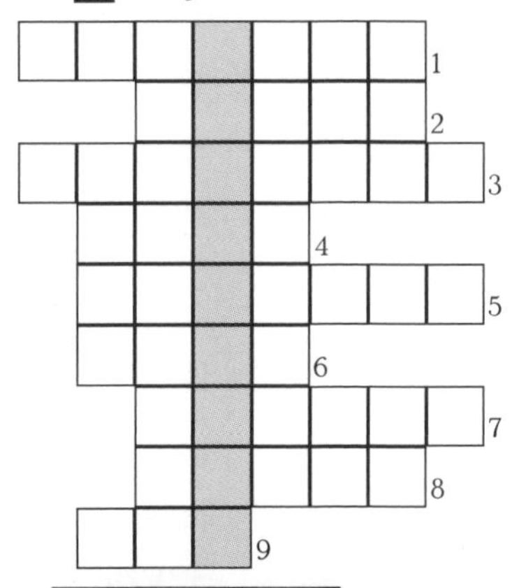

1. *Job ....., house ....., treasure .....*
2. *..... the button.*
3. *Okropny.*
4. *Fall in ..... .*
5. *There was a ..... offer.*
6. *Wypełnić: Could you ..... in this form, please.*
7. *Drobny, mały, niewielki: a ..... temperature.*
8. *Nielogiczne: This doesn't make ..... .*
9. *The letters 'n/s' stand ..... non-smoking.*

Klucz do ćwiczeń

1. Rozumienie ze słuchu. dialog **1** F, T, F; dialog **2** T, T, F; dialog **3** F, T, T; dialog **4** T, F, T; dialog **5** F, T, T
2. Test. 1c 2d 3d 4b 5a 6d 7a 8b 9b 10a 11d 12c 13b 14c 15d **3. Krzyżówka.** hasło: traveller (hunting, press, dreadful, love, special, fill, slight, sense, for)

Czasowniki nieregularne

Bezokolicznik	2. forma	3. forma
be	*was/were*	*been*
begin	*began*	*begun*
break	*broke*	*broken*
bring	*brought*	*brought*
build	*built*	*built*
buy	*bought*	*bought*
catch	*caught*	*caught*
choose	*chose*	*chosen*
come	*came*	*come*
cut	*cut*	*cut*
deal	*dealt*	*dealt*
do	*did*	*done*
dream	*dreamt/ dreamed*	*dreamt/ dreamed*
drink	*drank*	*drunk*
drive	*drove*	*driven*
eat	*ate*	*eaten*
fall	*fell*	*fallen*
feel	*felt*	*felt*
fight	*fought*	*fought*
find	*found*	*found*
fly	*flew*	*flown*
forget	*forgot*	*forgotten*
get	*got*	*got*
give	*gave*	*given*
go	*went*	*gone*
grow	*grew*	*grown*
have	*had*	*had*
hear	*heard*	*heard*
keep	*kept*	*kept*
know	*knew*	*known*
learn	*learnt/ learned*	*learnt/ learned*

Bezokolicznik	2. forma	3. forma
leave	*left*	*left*
lose	*lost*	*lost*
make	*made*	*made*
mean	*meant*	*meant*
meet	*met*	*met*
pay	*paid*	*paid*
put	*put*	*put*
read	*read*	*read*
say	*said*	*said*
see	*saw*	*seen*
sell	*sold*	*sold*
send	*sent*	*sent*
show	*showed*	*shown*
shut	*shut*	*shut*
sit	*sat*	*sat*
sleep	*slept*	*slept*
smell	*smelt/ smelled*	*smelt/ smelled*
speak	*spoke*	*spoken*
spell	*spelt/ spelled*	*spelt/ spelled*
spend	*spent*	*spent*
stand	*stood*	*stood*
steal	*stole*	*stolen*
take	*took*	*taken*
teach	*taught*	*taught*
tell	*told*	*told*
think	*thought*	*thought*
throw	*threw*	*thrown*
wake	*woke*	*woken*
wear	*wore*	*worn*
write	*wrote*	*written*

Liczebniki, daty, godziny

Liczebniki

	główne	porządkowe
1	*one*	*first*
2	*two*	*second*
3	*three*	*third*
4	*four*	*fourth*
5	*five*	*fifth*
6	*six*	*sixth*
7	*seven*	*seventh*
8	*eight*	*eighth*
9	*nine*	*ninth*
10	*ten*	*tenth*
11	*eleven*	*eleventh*
12	*twelve*	*twelfth*
13	*thirteen*	*thirteenth*
14	*fourteen*	*fourteenth*
15	*fifteen*	*fifteenth*
16	*sixteen*	*sixteenth*
17	*seventeen*	*seventeenth*
18	*eighteen*	*eighteenth*
19	*nineteen*	*nineteenth*
20	*twenty*	*twentieth*
21	*twenty-one*	*twenty first*
30	*thirty*	*thirtieth*
40	*forty*	*fortieth*
50	*fifty*	*fiftieth*
60	*sixty*	*sixtieth*
70	*seventy*	*seventieth*
80	*eighty*	*eightieth*
90	*ninety*	*ninetieth*
100	*a hundred*	*hundredth*

Liczebniki powyżej 100

553	*five hundred and fifty-three*
1000	*a thousand*
1200	*one thousand two hundred (twelve hundred)*
10 000	*ten thousand*
100 000	*a hundred thousand*
1 000 000	*a million*
2 000 000	*two million*

Daty

(w dniu)13/01/1854	*(on the) thirteenth of January eighteen fifty-four*
(w dniu) 11/09/1938	*(on the) eleventh of September nineteen thirty-eight*
(w dniu) 30/10/1992	*(on the) thirtieth of October nineteen ninety-two*
(w dniu) 01/11/2000	*(on the) first of November two thousand*
(w dniu) 08/02/2006	*(on the) eighth of February two thousand and six*
w 1802	*in eighteen oh two*
w 1989	*in nineteen eighty-nine*
w 2005	*in two thousand and five*

Godziny

07:45	*It's a quarter to eight (seven forty-five) a.m.*
08:30	*It's half past eight (eight thirty) a.m.*
10:50	*It's ten to eleven (ten fifty) a.m.*
12:00	*It's twelve o'clock (it's noon).*
13:05	*It's five past one p. m.*
17:20	*It's twenty past five (five twenty) p. m.*
20:00	*It's eight o'clock p. m.*
21:15	*It's a quarter past nine (nine fifteen) p. m.*
22:35	*It's twenty-five to eleven (ten thirty-five) p. m.*
24:00	*It's midnight*

Słowniczek

A

able - zdolny, utalentowany
about - o, około
above - nad
accident - wypadek
account - rachunek; stanowić
ache - boleć; ból
achieve - osiągać
across - przez, w poprzek
actually - w rzeczywistości, właściwie
add - dodawać
address - adres
adult - dorosły
advanced - zaawansowany
advantage - przewaga, zaleta
advise - doradzać
afford - (móc) pozwolić sobie na
afraid - przestraszony
after - po
afternoon - popołudnie
again - znowu
age - starzeć się; wiek
ago - (dawno) temu
agree - zgadzać się
agreement - umowa
airport - lotnisko
all - wszystko, wszyscy
allow - pozwalać
almost - prawie
along - wzdłuż, przy
already - już
also - także, również
although - chociaż
always - zawsze
among - wśród, między
and - i, a
angry - rozgniewany
animal - zwierzę
another - jeszcze jeden, inny
answer - odpowiadać
any - jakiś, jakikolwiek
anybody - ktokolwiek
anything - cokolwiek
anyway - w każdym razie
anywhere - gdziekolwiek
appear - pojawiać się
apple - jabłko
apply - ubiegać się
appointment - umówione spotkanie, wizyta
appreciate - doceniać
approve - zatwierdzać
area - obszar, dziedzina
arm - ramię
around - dookoła, w pobliżu
arrange - zorganizować, urządzać
arrive - przybywać
art - sztuka
as - tak jak, ponieważ
ask - pytać, prosić o
attack - atakować; atak
attempt - próbować; próba
attention - uwaga
attract - przyciągać
audience - publiczność
available - dostępny, wolny
avoid - unikać
away - z dala
awful - okropny

B

back - tył, z powrotem
background - tło, wykształcenie
bad - zły, brzydki
bag - torba

baggage - bagaż
ball - piłka, bal
bath - kąpiel (w wannie)
be - być
beat - pobić, pokonać
beautiful - piękny
because - ponieważ
become - stawać się, zostać
bed - łóżko
beer - piwo
before - przed, zanim, przedtem
begin - rozpoczynać
behaviour - zachowanie
behind - za, z tyłu
believe - wierzyć, sądzić
belong - należeć
between - między, pomiędzy
big - duży, wielki
bill - rachunek, banknot
birthday - urodziny
bite - gryźć; kęs, ugryzienie
bitter - gorzki
blood - krew
board - wchodzić na pokład; deska, zarząd
boat - łódź
body - ciało
bold - śmiały, jaskrawy
boring - nudny
both - oboje
bottle - butelka; butelkować
bottom - dół, dno
box - boksować; pudełko
boy - chłopiec
bread - chleb
break - łamać, zepsuć; przerwa
breakfast - śniadanie
bright - jasny, bystry
bring - przynosić, przyprowadzać
broad - szeroki, ogólny
brother - brat
build - budować
burn - palić się, oparzyć się; poparzenie
busy - zajęty, zatłoczony
but - ale, poza
button - guzik
buy - kupować
by - przez, przy

cake - ciasto, tort
call - wołać, zadzwonić
camp - biwakować; obóz
can - umieć, móc; puszka
capital - stolica
care - troszczyć się; troska
carry - nosić
case - przypadek, walizka
cast - obsadzać; obsada
cat - kot
catch - łapać
cause - powodować; powód
certain - pewny, pewien
chain - łańcuch, sieć
chair - krzesło
chance - okazja, szansa
change - zmieniać; reszta
charge - obciążać kosztami, oskarżać; opłata, zarzut
cheap - tani, skąpy
check - sprawdzać; kontrola
cheese - ser
child - dziecko
choice - wybór
choir - chór
church - kościół
circle - okrążać; koło
city - duże miasto
clean - czyścić; czysty
clear - sprzątać; jasny, wyraźny
climb - wspinać się
close - zamykać; bliski; koniec

clothes - ubrania
cloud - chmura
coach - trener, autokar
coat - płaszcz, warstwa
cold - zimny, katar
colleague - kolega, koleżanka
come - przychodzić, przybywać
comfortable - wygodny, spokojny
compare - porównywać
competition - konkurencja, zawody
complain - narzekać, skarżyć się
complement - uzupełniać; komplement
complete - zakończyć; kompletny
concentrate - skupiać się; skupienie
concern - niepokoić się; obawa
condition - stan, warunek
confirm - potwierdzać
connect - łączyć
consider - rozważać, brać pod uwagę
contain - zawierać
content - zawartość; zadowolony
continue - kontynuować
convenience - wygoda
convince - przekonać
cook - gotować; kucharz
cool - ochładzać; chłodny, spokojny
corner - kąt, róg
correct - poprawiać; prawidłowy
cost - kosztować; koszt
count - liczyć
country - kraj, wieś
couple - para; połączyć
course - danie, kurs
cover - przykrywać, obejmować; okładka
crazy - szalony, zwariowany
cream - krem, śmietana; kremowy
crime - przestępstwo
cross - przechodzić, krzyżować się; krzyż
cry - płakać, krzyczeć; krzyk
curious - ciekaw
currency - waluta
current - aktualny
customer - klient
customs - odprawa celna
cut - ciąć, kroić, skaleczyć

D

dad - tata
damage - psuć; szkoda
danger - niebezpieczeństwo, zagrożenie
dark - ciemny
data - dane
date - data, randka
daughter - córka
day - dzień
deal - transakcja
debt - dług, zadłużenie
decide - decydować
deep - głęboki
defend - bronić
definitely - zdecydowanie, z pewnością
delay - opóźniać, opóźnienie
delighted - zachwycony
deliver - dostarczać
depend - zależeć, polegać
describe - opisywać
dessert - deser
detail - szczegół
develop - rozwijać się
die - umierać
difference - różnica
difficult - trudny
dinner - obiad, wystawna kolacja

direct - bezpośredni
dirty - brudny, nieprzyzwoity
disappear - zniknąć
discount - odliczyć; zniżka, rabat
district - okręg, dzielnica
divorced - rozwiedziony
do - robić, wykonywać
dog - pies
door - drzwi
double - podwójny
doubt - wątpić; wątpliwość
down - w dół, na dole
dream - śnić; sen, marzenie
dress - ubierać się; suknia
drink - pić; napój
drive - prowadzić samochód, przejażdżka
drug - lekarstwo, narkotyk
dry - suchy, wytrawny
during - podczas

E

each - każdy
early - wczesny, początkowy
earn - zarabiać
easy - łatwy
eat - jeść
egg - jajko
else - jeszcze, inny
emergency - nagły wypadek
employ - zatrudniać
empty - pusty, opustoszały
enclose - przesyłać w załączeniu
end - kończyć; koniec
engaged - zajęty, zaręczony
engine - silnik
enjoy - lubić, cieszyć się
enough - dosyć; wystarczająco
enter - wchodzić, przystępować
entertain - bawić, zabawiać
escape - uciekać; ucieczka
especially - zwłaszcza, szczególnie
estate - posiadłość, majątek
evening - wieczór
ever - kiedykolwiek
every - każdy, wszelki
everyone - każdy, wszyscy
everything - wszystko
everywhere - wszędzie
exactly - dokładnie, właśnie
exam - egzamin
example - przykład, wzór
excellent - znakomity, świetny
except - oprócz, poza
excited - podniecony
excuse - usprawiedliwienie, wymówka
exit - wyjście, zjazd z autostrady
expect - oczekiwać, spodziewać się
expensive - drogi, kosztowny
experience - doświadczenie, przeżycie
explain - wyjaśniać
extra - dodatkowy
eye - oko

F

face - twarz, przód; zmierzyć się (z czymś)
fair - sprawiedliwy, słuszny
fall - upadać
family - rodzina
famous - sławny
fare - opłata (za przejazd)
fast - szybko
fasten - zapinać się, przymocowywać
fat - gruby; tłuszcz
father - ojciec, ksiądz
fault - wina, wada
favourite - ulubiony

fee - honorarium, składka
feel - czuć się, dotykać
female - płeć żeńska, samica
few - mało
field - pole, dziedzina, zakres
fight - walczyć
figure - liczba, postać
fill - napełniać, wypełniać
find - znaleźć
fine - karać grzywną; grzywna; piękny; świetnie
finish - kończyć; koniec
fire - zwolnić z pracy; ogień
fish - łowić ryby; ryba
fit - pasować; w dobrej formie, sprawny
flat - mieszkanie; płaski
flight - lot
floor - piętro, podłoga
flour - mąka
flower - kwitnąć; kwiat
flu - grypa
fly - latać; mucha
follow - iść za, następować po
food - jedzenie, żywność
foot - stopa
for - dla, na, za
foreign - obcy, zagraniczny
forever - na zawsze
forget - zapominać
free - wolny, bezpłatny
fresh - nowy, świeży
fridge - lodówka
friend - przyjaciel
from - od, z
fruit - owoc
full - pełny, syty
fun - zabawa, przyjemność
furniture - meble
future - przyszłość

G

game - gra, mecz
garage - garaż, stacja benzynowa
garden - ogród
gas - gaz
gate - brama, wyjście
gather - zbierać (się), wnioskować
gentleman - pan, mężczyzna
get - otrzymać, dostać, dostać się
girl - dziewczyna
give - dawać
glass - szkło, szklanka, kieliszek
go - iść, jechać, chodzić
good - dobry, zdrowy
grade - klasyfikować; stopień
grandfather - dziadek
grandmother - babcia
great - wielki, wspaniały, świetny
ground - ziemia
grow - rosnąć, uprawiać
guess - zgadywać, domyślać się
guest - gość, klient
guide - prowadzić; przewodnik

H

hair - włosy
half - połowa
hand - podawać; ręka, wskazówka zegara
handsome - przystojny
hang - wieszać, wisieć
happen - zdarzać się, przytrafiać się
happy - szczęśliwy, wesoły
hard - trudny, twardy
hate - nienawidzić
have - mieć
he - on

head - głowa
health - zdrowie
hear - słyszeć, dowiadywać się
heart - serce, środek
heat - grzać; gorąco
heavy - ciężki
help - pomagać; pomoc
here - tutaj
high - wysoki
hire - wynajmować, wypożyczać
hit - uderzać, stukać
hold - trzymać
home - dom, mieszkanie
hope - mieć nadzieję; nadzieja
hot - gorący, ostry, modny
hour - godzina
house - dom
how - jak
huge - ogromny
human - ludzki
hungry - głodny
hunt - polować
hurry - śpieszyć się; pośpiech
hurt - ranić, boleć
husband - mąż

I - ja
ice - lód
if - jeśli, gdyby, o ile
ill - chory
image - wizerunek, obraz
immediately - natychmiast
important - ważny, doniosły
impossible - niemożliwy
impression - wrażenie
in - w, do, na
include - włączać, wliczać
industry - przemysł, branża
initial - początkowy, wstępny
injured - zraniony, urażony
innocent - niewinny
inside - wewnątrz
instead - zamiast
intend - zamierzać
interest - zainteresowanie, oprocentowanie
interested - zainteresowany
interesting - ciekawy, interesujący
interrupt - przerywać
into - do, na, w
introduce - przedstawiać (się), zapoznawać
invite - zapraszać
island - wyspa
it - ono, to

jacket - marynarka, kurtka
jam - ściskać, stłoczyć; dżem
job - praca, zadanie
join - łączyć, przystępować do
joke - żartować; dowcip
journey - podróż
jump - skakać; skok
just - właśnie, po prostu; sprawiedliwy

keen - zapalony (do czegoś), chętny
keep - trzymać, wciąż coś robić
key - klucz
kick - kopać
kid - dzieciak
kind - uprzejmy, miły
kiss - całować; pocałunek
kitchen - kuchnia
know - wiedzieć, znać

L

lake - jezioro
land - lądować; ląd
language - język, mowa
large - obszerny
last - trwać; ostatni, najnowszy
late - późny; do późna
laugh - śmiać się
law - prawo, ustawa
lead - prowadzić; prowadzenie
learn - uczyć się, dowiadywać się
least - najmniejszy; najmniej
leather - skóra; skórzany
leave - wyjechać, zostawić
left - lewy; w lewo
leg - noga
less - mniej
lesson - lekcja, nauczka
let - pozwalać, wynająć
letter - list, litera
level - poziom
life - życie
lift - podnosić; winda
light - zapalać; światło
like - lubić; podobnie jak
listen - słuchać
little - mały; mało
live - żyć, mieszkać
loan - pożyczka
long - długi
look - patrzeć; wygląd
lose - tracić, przegrywać
lovely - uroczy, śliczny
low - niski
luck - szczęście
luggage - bagaż

M

main - główny
make - robić, wytwarzać
male - płeć męska, samiec
man - mężczyzna, człowiek
manage - kierować, zarządzać
many - wielu
mark - oznaczać; znak
marry - poślubić
match - pasować; zapałka, mecz
matter - mieć znaczenie; sprawa
may - móc
meal - posiłek
mean - znaczyć; skąpy
measure - mierzyć; miara
meat - mięso
medicine - lekarstwo
medium - średni
meet - spotykać się
memory - pamięć
mention - wspominać o, nadmieniać
message - wiadomość
midnight - północ
milk - mleko
mind - mieć coś przeciwko; umysł
minute - minuta
mirror - lustro
miss - tęsknić
Miss - panna
mistake - błąd
mobile - telefon komórkowy
modern - nowoczesny
month - miesiąc
mood - nastrój
moon - księżyc
more - więcej
morning - poranek
most - większość
mother - matka
mountain - góra
mouth - usta
move - ruszać
Mr - pan
Mrs - pani
Ms - pani

much - dużo
mum - mama
must - musieć

name - imię
narrow - wąski
near - blisko
need - potrzebować; potrzeba
neighbour - sąsiad
never - nigdy
new - nowy
news - wiadomości
next - następny
nice - miły
night - noc
nobody - nikt
noise - hałas
none - żaden
not - nie
note - banknot; notatka
nothing - nic
notice - zauważyć; uwaga
now - teraz
nowhere - nigdzie

O

object - sprzeciwiać się; przedmiot
office - biuro
often - często
old - stary
on - na
once - raz
one - jeden
only - tylko, jedynie
opposite - naprzeciw; przeciwieństwo
or - albo
orange - pomarańcza; pomarańczowy
order - zamawiać; zamówienie
ordinary - zwyczajny, pospolity
other - inny
ought to - powinno się
out - poza
outside - na zewnątrz
over - nad
own - posiadać; własny

P

pack - pakować
packet - paczka
pain - ból
paint - malować; farba
pair - para
paper - papier
parent - rodzic
park - parkować; park
part - część
pass - zdać, przechodzić
path - ścieżka
patient - pacjent, cierpliwy
pay - płacić
pen - pióro, długopis
people - ludzie
perform - występować
perhaps - może
permanent - stały
permit - pozwalać; pozwolenie
person - osoba
petrol - benzyna
pick - odebrać, podnieść
picture - obrazek
piece - część, kawałek
pity - szkoda
place - miejsce
plane - samolot
plate - talerz
platform - peron

pleasure - przyjemność
pocket - kieszeń
point - punkt
polite - uprzejmy, grzeczny
poor - biedny, ubogi
possible - możliwy
post - poczta
potato - ziemniak
pound - funt
pour - lać
power - władza, siła
precise - precyzyjny
prepare - przygotować
press - naciskać
price - cena
print - drukować; druk
prize - nagroda
probable - prawdopodobny, możliwy
promise - obiecać; obietnica
proper - właściwy
property - własność
protect - chronić
purpose - przyczyna
purse - portmonetka
push - pchać
put - kłaść

Q

quality - jakość
quarter - ćwiartka, kwadrans
question - pytanie
quick - szybki
quiet - cichy
quite - dość

R

rain - padać; deszcz
rare - rzadki
rather - raczej
read - czytać
ready - gotowy
reason - powód
receive - otrzymać
recent - ostatni, najnowszy
recognise - rozpoznać
recover - wyzdrowieć
refuse - odmawiać
remember - pamiętać
rent - wynajmować; czynsz
rental - wynajem
repeat - powtarzać; powtórka
reply - odpowiadać; odpowiedź
request - prosić; prośba
response - odpowiedź
responsible - odpowiedzialny
rest - odpoczywać; odpoczynek
return - wracać; powrót
rich - bogaty
right - prawy
ring - dzwonić; pierścionek
road - ulica
rob - kraść
room - pokój
round - wokół
route - trasa
rule - rządzić; zasada
run - biegać; bieg
rush - śpieszyć się; pośpiech

S

sad - smutny
safe - bezpieczny; sejf
salad - sałatka
same - taki sam
sample - próbka
save - ocalić, oszczędzać
say - mówić
school - szkoła
sea - morze
second - sekunda; drugi
see - widzieć, rozumieć

seem - wydawać się
sell - sprzedawać
send - wysyłać
sensible - rozsądny
sentence - zdanie
set - nastawiać; zestaw
several - kilka
shape - kształt
share - dzielić się; działka
sharp - ostry
she - ona
shelf - półka
shine - świecić
ship - statek
shirt - koszula
shoe - but
shoot - strzelać
short - krótki
shout - krzyczeć; krzyk
show - pokazywać
shut - zamykać
sick - chory
side - strona, bok
sign - podpisać się; znak
sight - widok, wzrok
signature - podpis
silent - milczący
silk - jedwab
similar - podobny
simple - prosty
since - od
sincere - szczery
sing - śpiewać
single - pojedynczy
sister - siostra
sit - siedzieć
size - rozmiar
skill - umiejętność
skin - skóra
sky - niebo
sleep - spać; sen
slim - szczupły
slow - powolny
small - mały
smell - wąchać; zapach
smile - uśmiechać się; uśmiech
snow - śnieg
so - więc
soft - miękki
some - kilka, trochę
someone - ktoś
something - coś
sometimes - czasem
somewhere - gdzieś
son - syn
song - piosenka
soon - wkrótce
sort - rodzaj
sound - dźwięk
speak - mówić
speed - szybkość
spell - literować
spend - spędzać (czas), wydawać (pieniądze)
spirit - dusza, spirytus
square - kwadrat, plac
staff - kadra
stair - schodek
stand - stać; stoisko
star - gwiazda
stay - zostać; pobyt
steal - kraść
step - krok
still - nadal; spokojny; niegazowana (woda)
stomach - brzuch
store - sklep
story - opowieść
straight - prosto; prosty
strange - dziwny
strawberry - truskawka
street - ulica
strong - silny
stubborn - uparty
study - studiować
supper - kolacja

style - styl
subject - temat
succeed - odnieść sukces
sudden - nagły
sugar - cukier
suit - pasować; garnitur
suitable - odpowiedni, właściwy
suitcase - walizka
sun - słońce
support - wspierać; wsparcie
suppose - spodziewać się
sure - pewny
surname - nazwisko
surprise - zaskakiwać; niespodzianka
swallow - połykać
sweet - słodki, uroczy
swim - pływać

table - stół
take - brać
talk - rozmawiać; rozmowa
tall - wysoki
taste - próbować; smak
teach - nauczać
tear - drzeć; łza
tell - mówić
tend - mieć tendencję
term - warunek
terrible - straszny
than - niż
that - tamten, że
theatre - teatr
then - wtedy
there - tam
they - oni
thing - rzecz
think - myśleć
thirsty - spragniony
this - ten
throat - gardło
through - przez
throw - rzucać
ticket - bilet
tie - wiązać; krawat
till - aż do
time - czas
timetable - rozkład jazdy
tired - zmęczony
title - tytuł
to - do
today - dzisiaj
tomorrow - jutro
tonight - dzisiaj wieczorem
together - razem
too - również; zbyt
tool - narzędzie
tooth - ząb
touch - dotykać; dotyk
tough - ciężki
tour - trasa
town - miasto
trade - handel
traffic - ruch uliczny
train - trenować; pociąg
travel - podróżować; podróż
treasure - skarb
treat - traktować, leczyć
tree - drzewo
trip - wycieczka
trouble - kłopot
trust - ufać; zaufanie
true - prawdziwy, szczery
try - próbować
tube - rura, metro
turn - skręcać; zakręt
twice - dwa razy

ugly - brzydki
uncle - wujek
under - pod

underground - metro, podziemie
understand - rozumieć
unfortunately - niestety
until - aż do
up - do góry
upset - rozzłoszczony
upstairs - na górze
use - używać; użycie
usually - zwykle

value - wartość
vegetable - warzywo
view - oglądać; widok
village - miasteczko
visit - zwiedzać

W

wait - czekać
wake - obudzić się
walk - chodzić; spacer
want - chcieć
warm - ciepły
wash - myć
waste - marnować
watch - oglądać; zegarek
water - woda
way - sposób, droga
we - my
weak - słaby
wear - nosić (ubranie)
weather - pogoda
week - tydzień
welcome - witać; powitanie
well - dobrze
wet - mokry
what - co
when - kiedy
where - gdzie
which - który
while - w czasie; podczas gdy
who - kto
whole - cały; całość
whose - czyj
why - dlaczego
wide - szeroki
wife - żona
win - wygrać
wind - nakręcać; wiatr
window - okno
wine - wino
wise - mądry
wish - życzyć; życzenia
with - z
without - bez
woman - kobieta
wonderful - cudowny; cudownie
word - słowo
work - pracować; praca
world - świat
worry - martwić się
write - pisać
wrong - zły, niewłaściwy

X - ray - prześwietlenie

year - rok
yesterday - wczoraj
yet - jeszcze
you - ty
young - młody

Z

zone - strefa